LOS FUTBOLÍSIMOS

EL MISTERIO DE LOS SIETE GOLES EN CONTRA

Roberto Santiago

Ilustraciones de Enrique Lorenzo

© del texto: Roberto Santiago, 2013
© de las ilustraciones: Enrique Lorenzo, 2013

De la edición española
© Ediciones SM, España, 2013
Edición ejecutiva: Gabriel Brandariz
Coordinación editorial: Berta Márquez
Coordinación gráfica: Lara Peces

De la edición argentina
© Ediciones SM, Argentina, 2016
Dirección literaria: Cecilia Repetti
Coordinación de la edición: Mariela Schorr

Edición y adaptación para las ediciones de Argentina y México:
Sebastián Vargas y Sara Giambruno

Primera edición en México, 2017
D. R. © SM de Ediciones S. A de C. V., 2017
Magdalena 211, colonia del Valle,
03100, Ciudad de México
Tel.: (55) 1087 8400
www.ediciones-sm.com.mx

ISBN 978-607-24-2747-1

Miembro de la Cámara Nacional de la Industria Editorial Mexicana
Registro número 2830

Impreso en México / *Printed in Mexico*

1

Mi corazón late tan de prisa que parece que me va a estallar en cualquier momento.

Nunca en mi vida corrí tan rápido, ni siquiera cuando me dan un pase largo y tengo que dejar atrás a los defensas y llegar a la pelota antes que el portero.

Llevo corriendo tanto tiempo que ya ni me acuerdo de cuándo empezamos.

Siento pinchazos en las piernas y me arden los pulmones.

Pero no puedo parar.

Corre, corre, corre.

Miro hacia atrás y allí está ella. A punto de alcanzarme.

Tiene la cara roja, respira muy fuerte, está sudando y tiene el pelo alborotado de tanto correr, pero eso ahora no le importa.

Cuando se propone algo, no hay quien la detenga.

—¡Vamos, Francisco, no pares! —me grita mi madre.

Yo la miro un segundo mientras sigo adelante.

Nunca la había visto así.

Está completamente roja del esfuerzo, pero no deja de correr.

Las madres también corren.

Yo no sabía que la mía pudiera correr tan rápido.

Acelero, pero mi madre se pone a mi altura. Ella corre como si se acabara el mundo.

Me deja atrás.

—¡¡Vamos, Francisco, que no llegamos!!

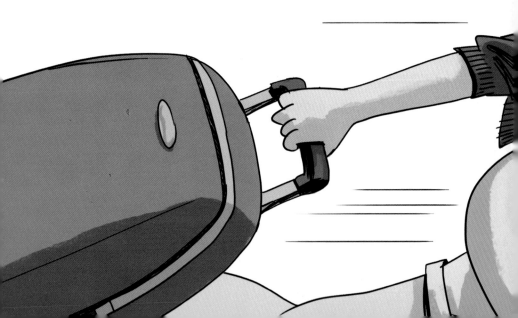

La gente se va apartando a nuestro paso, y algunos se asustan y nos gritan que tengamos cuidado y que no se puede ir así por la calle.

Estamos a punto de llevarnos por delante a una señora que empuja un carrito de compras. La mujer lo aparta en el último momento, cuando mi madre pasa a su lado.

Al echarlo a un lado, está a punto de darme a mí con el carrito. Tengo que saltar, y mi pie tropieza con una rueda. Salgo a tropezones y estoy a punto de caer al suelo, pero mi madre me agarra justo antes de que me estrelle.

–¡Perdone, señora! –dice mi madre.

Y seguimos adelante.

Levanto la cabeza y veo un enorme reloj en la fachada del edificio al que nos dirigimos. Van a dar las nueve.

No vamos a llegar.

Un grupo de niños de kínder, que van en fila india tomados de la mano, ocupan toda la acera y están justo delante de nosotros.

Imposible pasar.

Damos un salto y corremos por el medio de la calle. Un taxi empieza a tocarnos el claxon.

—¿Está loca, señora? —grita el taxista—. ¡No se puede cruzar por cualquier parte, después pasa lo que pasa!

Mi madre gira y yo pienso que le va a pedir perdón también, pero en lugar de eso levanta una mano y dice:

—¡Taxista tenía que ser!

Y me jala y sigue corriendo.

—¡Vamos, vamos! —dice.

El claxon del taxi suena furioso varias veces, y creo que el hombre nos está insultando, pero yo no oigo, por las dudas.

Llegamos a un cruce peatonal. El reloj del edificio marca dos minutos para las nueve.

El semáforo está en rojo.

Mi madre frena en seco y me detiene poniéndome la mano en el pecho.

No pasa ni un carro, pero mi madre no me deja cruzar.

–¿Y ahora qué pasa? –pregunto yo–. ¿Podemos correr por la mitad de la calle entre los carros, pero no podemos saltarnos un semáforo cuando no viene nadie?

–Hay que respetar los semáforos, Francisco –me dice, muy seria.

–¡Pero si no viene nadie! –insisto yo.

—Los semáforos son sagrados —responde mi madre—. Tu padre es policía municipal, y hay mucha gente en el mundo que ha dado su vida para que existan los semáforos. Es uno de los grandes inventos de la humanidad, deberías saberlo.

—Está bien —digo yo.

Y ahí nos quedamos, parados, con la lengua fuera por la carrera que acabamos de dar, y esperando a que se ponga en verde un semáforo aunque no pasa ningún carro.

Cuento con desesperación los segundos que tarda el semáforo en cambiar: uno, dos, tres, cuatro, cinco...

Cuando llego a trece... el semáforo por fin cambia de color y empezamos otra vez a correr como locos.

Las nueve y un minuto.

Demasiado tarde.

Entramos en la estación de autobuses. Es enorme y está llena de gente, y nosotros seguimos corriendo sin parar.

Una familia de extranjeros con un montón de bultos apilados a su alrededor nos miran con mala cara porque estuvimos a punto de tirar sus maletas, y nos dicen algo que no sé lo que significa.

Bajamos las escaleras mecánicas corriendo.

Mi madre va empujando y pidiendo perdón al mismo tiempo.

Le tiene que pedir perdón a mucha gente.

Por fin llegamos al piso de abajo, donde están estacionados todos los autobuses. El ruido que hacen tantos motores al mismo tiempo es tremendo, y no nos oímos.

Ella me grita:

—¡Que si te fijaste qué andén es!

—¡No tengo ni idea! —respondo yo—. ¡Lo único que hice fue correr detrás de ti!

Hay docenas de autobuses.

¿Cuál será?

Seguramente se ha ido: el horario de partida era a las nueve, y son las nueve y un minuto y veinte segundos.

Mi madre saca su celular, mientras buscamos desesperados.

Miro los carteles pegados en los autobuses.

Murcia, Valencia, Salamanca, Ciudad Real...

¿Dónde está el nuestro?

—No contestan —dice mi madre, y cuelga.

Seguimos avanzando por el piso de abajo, desesperados.

Son las nueve y dos minutos.

Nuestro autobús se ha ido.

Nos quedamos abajo.

Pero entonces escucho una voz detrás de mí.

—¡Pakete, qué pasa que no nos ves!

¡Sí!

¡Es Camuñas!

Y a su lado están Tomeo y Angustias y todos los demás...

Están dentro de un autobús.

Y nos hacen señas.

—¡Vamos que nos vamos! —dice Camuñas.

Mi madre y yo damos una última carrera y llegamos hasta la puerta del autobús.

El conductor nos mira con mala cara.

—Perdone. Es el niño, que se ha quedado dormido —dice mi madre.

Mentira, y de las grandes.

La que se quedó dormida ha sido ella.

Yo casi ni dormí.

Estaba tan nervioso con el viaje que no pegué un ojo.

Por fin subimos al autobús.

Allí nos reciben Felipe y Alicia, nuestros entrenadores.

—Creímos que ya no venían —dice Alicia.

—Es que Francisco se durmió —insiste mi madre.

A mí no me importa lo que diga.

Llegamos a tiempo.

Estamos con todo el equipo.

Y nos vamos de viaje.

Cruzo una mirada con Helena, que está en la última fila del autobús.

Y sonrío como un bobo.

El autobús por fin arranca con nosotros dentro.

Vamos a un lugar donde yo nunca he estado.

Un lugar único.

La ciudad con más rascacielos de toda Europa.

Miro el cartel que hay en la parte delantera del autobús.

Y leo: "Benidorm".

2

Mi nombre es Francisco García Casas y voy a jugar un torneo de futbol 7 en Benidorm.

Muchos en el equipo me llaman Pakete, y aunque al principio no me hacía gracia, ahora ya no me importa, porque me parece que es un apodo como cualquier otro.

Para el que no lo sepa, mi equipo está formado por Camuñas (el portero), Angustias, Tomeo, Marilyn (la capitana), Toni, Helena con hache, Anita, Ocho y yo.

No somos muy buenos, pero tenemos algo que no tiene ningún otro equipo: tenemos un pacto secreto.

El pacto de los Futbolísimos.

Nuestro equipo es el Soto Alto Futbol Club.

La canción dice así:

> Soto Alto, cuna de grandes campeones,
> Soto Alto, cancha de pasiones.
> Desde la más tierna infancia
> hasta la adolescencia,
> Soto Alto está en nuestros corazones
> como un crisantemo de emociones.
> Por muy lejos que te encuentres,
> nunca te olvides:
> Soto Alto está contigo,
> Soto Alto ganará,
> ra-ra-ra,
> Soto Alto ga-na-rá.

–¿Qué les parece? –preguntó el padre de Camuñas al terminar de cantar.

Todos nos quedamos en silencio.

El padre de Camuñas estaba en el pasillo del autobús.

Por lo visto, la canción la había escrito él.

Miré a Camuñas, que estaba escondido en su asiento, sin atreverse a asomar la cabeza, avergonzado, y seguramente pensando: "Tierra, trágame".

–No está nada mal –dijo Felipe.

–Es muy... interesante –dijo Alicia.

–Si quieren, ahora podemos cantarla todos –dijo el padre de Camuñas.

—Bueno, bueno, tampoco hay que ponerse ahora a cantar todos, así de golpe —dijo mi madre—. Yo creo que lo mejor es que termines de arreglarla y luego, en todo caso, la vamos ensayando con los niños.

—Pero si está terminada —insistió el padre de Camuñas.

—Bueno, bueno, Quique, pero no hay que presionar a los chicos, que están cansados del viaje y a lo mejor no quieren cantar —dijo mi madre.

—Mujer, del viaje no pueden estar cansados, porque acabamos de salir hace cinco minutos de la terminal.

Entonces mi madre miró a Quique, o sea al padre de Camuñas, y dijo:

–Tonterías.

Y ahí se acabó la discusión.

Cuando mi madre dice "tonterías", es que la conversación se ha terminado.

La verdad es que la canción era horrible.

Y cuando el padre de Camuñas la cantó en el autobús delante de todos, fue bastante ridículo y nos quedamos sin saber qué decir.

A lo mejor en otro momento habríamos empezado a reírnos.

O incluso le habríamos tirado bolitas de papel y le habríamos gritado.

Pero ese día, no.

Ese día, el padre de Camuñas era nuestro héroe.

Podía hacer lo que quisiera.

Cantar una canción horrible.

O incluso algo peor.

Y nosotros no le íbamos a decir nada.

La razón es muy sencilla.

Todo el viaje para jugar el torneo de futbol lo había organizado él.

Creo que ya lo dije, pero lo voy a repetir por si alguien no lo ha entendido todavía: estábamos en un autobús rumbo a Benidorm, para jugar un torneo de futbol.

¡Era la primera vez que el equipo de Soto Alto participaba en un torneo!

Durante el año escolar jugábamos la Liga Interbarrios, pero eso no cuenta porque la juegan todos los colegios de la sierra.

El torneo de Benidorm era un torneo de verdad.

Y jugaban algunos de los mejores equipos de futbol infantiles.

Cuando ganamos el último partido de la Liga y no descendimos a segunda división, el padre de Camuñas se puso tan contento que dijo que nos iba a hacer un gran regalo a todos, algo que no íbamos a olvidar nunca.

Y el regalo fue que nos anotó en el Torneo Internacional de Futbol Infantil de Benidorm, más conocido como el TIFIB.

El padre de Camuñas tiene una agencia de viajes en el pueblo, así que él organizó todo.

Por lo visto, el regalo era un poco extraño, porque el viaje tuvieron que pagarlo nuestros padres.

–¡Qué caradura! –dijo la madre de Anita.

–Ya lo creo –añadió el padre de Angustias.

–Bueno, bueno –dijo Quique, el padre de Camuñas–. Conseguí un lugar en el torneo más importante del verano, y además el autobús y el hotel los cobro a precio de costo. Vamos, que casi salgo perdiendo dinero con este asunto.

Algunos padres insistieron en que era demasiado caradura, pero como ya estábamos anotados y a todos nos hacía ilusión ir, al final decidieron pagarlo.

Después de mucho discutir, se decidió que al torneo iríamos los nueve niños del equipo; Alicia y Felipe, nuestros dos entrenadores, y en representación de los padres y para cuidarnos, mi madre y el padre de Camuñas.

En total, éramos trece.

Algunos dicen que el trece es el número de la mala suerte.

Pero yo no creo en esas cosas.

Lo que no imaginábamos era que, además de jugar futbol, durante el torneo íbamos a tener que resolver un misterio mucho más grande que el de los árbitros dormidos.

Algo que no era un juego de niños.

Pero vamos por partes.

Cuando llegamos a Benidorm, lo primero que hicimos fue lo que habría hecho cualquiera en nuestro lugar.

Fuimos directamente a la playa.

Había más gente que en el metro en hora pico, y que en cualquier otro sitio en el que yo hubiera estado antes.

Mi madre dijo:

—No se pierdan.

Y salimos todos corriendo.

La playa de Benidorm tenía una arena muy blanca y muy fina, se veían los rascacielos enormes al fondo, y el agua estaba caliente.

Aunque teníamos tantas ganas de meternos en el mar, que si hubiera estado congelada también nos habríamos tirado de cabeza.

Los que llegaron primero al agua fueron los más rápidos del equipo: Marilyn y Toni que, aunque se llevan mal, entraron casi al mismo tiempo al mar.

Yo llegué al último, porque estaba cansado de la carrera de aquella mañana y ya no tenía ganas de correr por ese día.

Y también porque tengo que tocar el agua con los dedos del pie antes de meterme. Es una manía que tengo, y mi hermano, que es de los que entran corriendo al agua y se tiran de cabeza, me dice que soy un cobarde y que parezco un niño pequeño, pero a mí me da igual. Yo toco el agua con el pie, y a quien no le guste, peor para él.

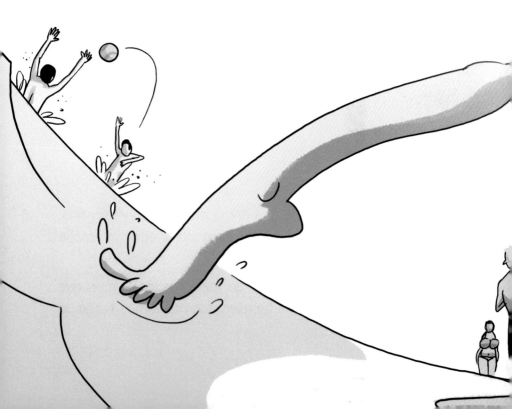

Helena se puso a mi lado. Llevaba un traje de baño con rayas blancas y negras que, por lo visto, se lo había traído su padre de uno de sus viajes al África. Se quedó mirando cómo metía el dedo gordo del pie dentro del agua.

–¿Te da miedo, o qué? –me preguntó.

Me lo dijo sonriendo.

La miré a los ojos y me acordé de la noche en que nos dimos un beso. Ya he dicho que Helena tiene los ojos más grandes del mundo y cuando te mira parece que te puede leer el pensamiento.

Una noche, en la cancha de futbol, me había dado un beso.

Si tuviera que escribir mi biografía, como los futbolistas o los actores que publican un libro y cuentan todo lo que les ha pasado, diría que esa fue la mejor noche de mi vida. Aunque tal vez a la gente no le interesaría esa parte de los besos y preferirían que contara mis historias como futbolista.

No los culparía por ello.

Por suerte no tengo que elegir entre el beso de Helena y el futbol, porque sería una decisión muy difícil.

Helena estaba a mi lado y me miraba con sus ojos gigantescos, y pensé que a lo mejor nunca más me daría un beso, y que lo de aquel día había sido una excepción, un beso de casualidad, por decirlo de alguna manera.

Entonces, de repente, pasó entre nosotros algo como un huracán y nos golpeó a los dos al mismo tiempo.

–¡¡¡Voyyyy!!! –gritó Tomeo, que era el que había pasado a nuestro lado gritando.

Tomeo es el más grande y también el defensa central del equipo, y le encanta el agua, como a los elefantes.

Se tiró de panzazo sobre todos los que estaban ya en el mar, y hundió a cuatro al mismo tiempo: Angustias, Camuñas, Anita y a Ocho.

El salvavidas de la playa se acercó y nos llamó la atención.

–Mucho cuidado con jugar a ahogarse y esas tonterías –dijo.

Y se quedó en la orilla sin quitarnos el ojo de encima.

–¿Viste qué guapo es? –le dijo Marilyn a Helena, y a ella le dio una risita, y cuando yo le iba a preguntar a Helena si se metía al mar conmigo, Marilyn la jaló, y se fueron juntas a seguir hablando de sus cosas, y no dejaban de mirar al salvavidas, que estaba muy bronceado y llevaba un traje de baño color naranja que yo creo que se podía ver desde varios kilómetros a la redonda.

Me entraron ganas de decir que yo no tendré músculos ni mediré un metro ochenta y ni siquiera estaba bronceado porque no llevaba ni cinco minutos en la playa, pero que yo tenía otras muchas cosas... Cosas que ahora no vienen al caso y que no voy a decir porque no me da la gana, pero que son mucho más importantes.

–Todos dicen que Helena está jugando contigo.

Me di vuelta.

Y allí estaba Toni.

El superchido.

Acababa de salir del agua, estaba empapado, y se echó el pelo hacia atrás.

–Eso es lo que dicen –añadió.

–No sé a qué te refieres –respondí yo.

–Okey, bueno, a mí me da lo mismo –dijo él–, pero tienes que tener cuidado, porque la gente empieza a decir que una chica te gusta mucho y que ella no te hace caso, y antes de que te des cuenta, todo el mundo se estará riendo de ti.

–Hummmmm –dije.

Nuestros compañeros estaban ahí delante, tirándose contra las olas.

Toni me dijo:

–Tú haz lo que quieras, lo digo por tu bien.

Y él también se metió al agua.

Toni era el más uyuyuy del equipo, aunque también era el que más goles metía. Nadie se llevaba bien con él, y además estaba claro que le gustaba Helena.

Pero aun así, lo que dijo no me hizo ninguna gracia.

Es verdad que últimamente Helena estaba muy rara.

Se reía mucho.

Y seguíamos siendo muy amigos.

Pero después de lo del beso, algo había cambiado.

No sé explicarlo muy bien.

Es como si ya no tuviéramos tanta confianza como antes.

O como si ella no quisiera quedarse a solas conmigo.

No lo entiendo.

Estaba pensando en todo eso, y mirando a Helena y a Marilyn que seguían cuchicheando, cuando alguien me empapó.

−¡Vamos, Pakete, que estás en las nubes!

Era Camuñas.

Como siempre.

Me salpicó y me dijo que me metiera de una vez.

Salí corriendo detrás de él.

Y por fin me metí en el mar.

Por un momento, me olvidé de todo.

Helena.

Los besos.

Toni.

El futbol.

El torneo.

Todo desapareció de mi mente.

Solo estaban las olas y yo.

Y la verdad es que estuvo muy bien.

Estuve un buen rato flotando en el mar.

Hasta que apareció él.

El francés.

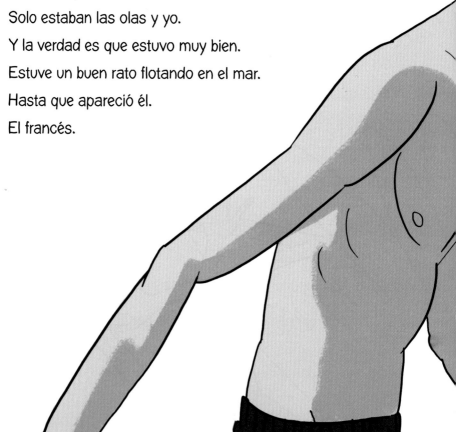

4

Era como los chicos que aparecen en los anuncios de la tele. Rubio, sonriente, con los dientes muy blancos y los ojos azules, un traje de baño superchido, y más alto que yo.

Tenía doce años y todas las chicas lo miraban como tontas mientras Helena hablaba con él.

En francés.

Un momento: ¡Helena hablaba francés!

¿Cuándo había aprendido?

En el colegio estudiamos inglés.

¿Por qué sabía ella francés?

Además, no paraba de reírse. Parecía que todo lo que le decía el francés fuera muy divertido. No lo sé, pero a lo mejor cuando se dice una tontería en francés suena mucho más graciosa.

Siguió hablando con él como si lo conociera de toda la vida.

–¿Se puede saber quién es ese? –pregunté yo.

–No lo sé, pero es muy guapo –dijo Camuñas.

–¿Y tú qué sabes si es guapo? –pregunté.

–Salta a la vista –dijo–. Y además es francés.

–Ya, ya –dije yo.

–Mira cómo lo toca –dijo Tomeo.

–Pero qué dices...

Tomeo tenía razón. Cada vez que decía algo, Helena y él se daban toquecitos en el brazo o en el hombro. Y se reían cada vez más fuerte.

–No lo está tocando. Le está dando golpes en el brazo porque... –dije yo–, porque en Francia es una costumbre que tienen.

–¿Tocar a los chicos guapos? –preguntó Camuñas.

–Esto va a terminar mal, lo veo venir –dijo Angustias.

Lo que faltaba.

–¿Por qué va a terminar mal? –pregunté–. Aquí lo único que pasa es que Helena es muy educada y ha visto a un extranjero que está solo y lo está saludando.

–Claro –dijo Camuñas.

Entonces apareció Toni y se puso al lado de nosotros.

–¿Pero han visto eso? –dijo.

–¿El qué? –pregunté yo haciéndome el distraído.

–Pues qué va a ser: Helena con el franchute ese.

–No me había fijado –dije.

–Yo sí –dijo Camuñas–. Es el chico más guapo que he visto en mi vida.

–Y dale –dije.

–¿Pero es que no saben quién es? –preguntó Toni.

–Y... un francés que está en la playa.

Toni negó con la cabeza.

–Es Lucien –dijo.

Todos lo miramos intentando entender.

—Lucien, la estrella del Cronos.

¿¡Qué!?

Vamos por partes.

El Cronos es el mejor equipo infantil de futbol del mundo.

Y Lucien era el niño futbolista más famoso de todos los tiempos.

Había salido en la portada de *France Futbol* con Messi.

Había batido todos los récords de goles.

Y se decía que ya tenía firmado un contrato millonario con el Manchester United para cuando cumpliera quince años.

¡Aquel rubio era Lucien!

—Esto va a terminar muy mal —dijo Angustias.

Sin decir nada más, nos quedamos mirando a Helena, que seguía hablando con él.

Entonces llegó un hombre también rubio, alto, con anteojos de sol, que parecía muy enojado.

Agarró a Lucien por el hombro y empezó a decirle cosas muy rápido y muy alto, y en francés, así que no entendimos nada.

El chico dejó de sonreír y bajó la cabeza.

Después, Lucien le dijo algo a Helena y se marchó con el hombre.

Ella se quedó mirando cómo se alejaba.

Luego se dio la vuelta y vino caminando hasta donde estábamos nosotros.

–¿Qué hacías hablando con Lucien? –preguntó Toni.

–Es muy apuesto –dijo Helena.

–Y muy guapo –añadió Marilyn.

–Se los dije –dijo Camuñas.

Helena se rio.

–Se tuvo que ir porque tenía que hacer una entrevista en el hotel –dijo–. Pero lo veremos mañana en la inauguración.

–¿La inauguración de qué? –pregunté.

–Pues de qué va a ser –dijo ella–. En la inauguración del torneo. El Cronos es el primer equipo en jugar.

En ese momento nos quedamos todos sin habla.

¿El Cronos iba a jugar en nuestro torneo?

–Esto va a terminar muy muy mal.

Todos nos dimos vuelta.

Pero no había sido Angustias el que había dicho eso.

Había sido yo.

El Cronos no es un equipo de futbol.

Es mucho más.

Es el único equipo del mundo que jamás ha perdido un partido.

Se creó hace solo tres años, pero ya es una leyenda.

No es un equipo de ningún país.

Ni juega en ninguna liga de futbol.

El Cronos está compuesto por niños y niñas de todos los países.

Son una especie de selección mundial patrocinada por Dream, que es una superempresa que fabrica todo tipo de cosas: televisiones, computadoras, celulares, tablets...

Y también la mejor consola del mundo, la Dream Cronos.

Los niños que juegan en el Cronos tienen una beca de estudios y recorren el planeta jugando al futbol en torneos y en partidos amistosos y cosas así.

Y de paso promocionan los videojuegos, claro.

El Cronos tiene cazatalentos que observan a miles de niños por todas partes: en España, en Inglaterra, en Rusia, en Brasil, en China...

Fichan a los mejores jugadores infantiles. Y los entrenan todos los días del año, en cualquier parte del mundo.

Aunque la mayor parte del tiempo viven en La Finca, un supercomplejo deportivo en una isla del Pacífico con residencia y colegio y canchas de entrenamiento.

Por si fuera poco, los entrena el mejor entrenador del mundo.

Pero no el mejor entrenador de futbol infantil.

No.

El mejor entrenador de futbol de adultos: Jochen Habermas.

Ganador de tres Champions League con tres equipos distintos en tres años consecutivos. El único que lo ha logrado.

Después de aquella hazaña, se retiró y dijo que nunca más volvería a entrenar.

Hubo quien pensó que ya no tenía ningún estímulo. Se aburría de ganar.

Otros, que se había retirado por problemas personales.

Habermas es el ídolo de Felipe y Alicia.

Nos contaron que Habermas vivía en un barco, y que iba a todas partes en él, y se negaba a ir a hoteles.

Y que odiaba las computadoras, lo anotaba todo en libretas.

Y que todos los días de su vida veía por lo menos cinco o seis partidos de futbol.

El caso es que, después de dos años retirado, volvió de la forma más inesperada.

¡Para entrenar a un equipo de niños!

O más bien, para formar el mejor equipo de la historia del futbol.

Fichado por Dream con un contrato millonario, según decían.

Y había sido el propio Habermas en persona quien se llevó a Lucien a jalones ese día de la playa.

Todos nos quedamos callados sin saber qué decir.

No hay ningún equipo parecido al Cronos.

Simplemente, son los mejores.

Han ganado todos los partidos que han jugado.

Todos.

Y ahora estaban aquí.

En Benidorm.

Para jugar nuestro torneo.

El TIFIB.

YouTube está lleno de videos del Cronos.

En uno de los videos, en un partido contra el São Paulo, se ve a los jugadores dando setenta y tres pases seguidos antes de marcar un gol.

¡Setenta y tres!

También tienen el récord de posesión de pelota en un partido de infantiles: 95%.

Eso quiere decir que de los cuarenta minutos en los que la pelota estuvo en juego, ellos la tuvieron 38.

Y los rivales, 2 minutos.

—Probablemente, nosotros tendríamos menos posesión si nos tocara jugar contra ellos —suspiró Angustias.

—¿Se imaginan si nos toca jugar con ellos? —dijo Camuñas.

—A mí una vez me llamaron para hacer una prueba con el Cronos —dijo Toni.

—¿Ah, sí? —dijo Tomeo.

—¿Y quién te llamó? ¿Algún entrenador del Cronos? —preguntó Helena.

—¿O uno de esos cazatalentos que van por todo el mundo? —preguntó Anita, interesada.

—Bueno —dijo él—, en realidad me llamó un señor que está casado con una amiga de mi madre, y que sabía que estaban haciendo pruebas en el estadio de la Comunidad, y me dijo que tenía mucho interés en que yo fuera.

—Ah, entonces fue un amigo de tu madre...

—Sí, bueno, pero tenía mucho interés...

—Sí, seguro. Van a echar a Lucien para ficharte a ti —dijo Camuñas.

Y todos nos reímos.

Toni miró a Camuñas como si le fuera a pegar un empujón o algo peor, pero en ese momento apareció el padre de Camuñas en la playa. Y dijo:

—Han desaparecido las maletas.

6

Alguien se había llevado nuestras maletas, con todas nuestras cosas personales y, lo que es más grave, ¡con los uniformes de futbol!

Las camisetas, los pantalones, los botines...

Todo había desaparecido.

—Seguro que ha sido un error —dijo Alicia.

—Quién sabe —dijo mi madre—. Hay mucho ladrón suelto.

Nos reunimos todos en el vestíbulo del hotel, y Quique, el padre de Camuñas, explicó que mientras nosotros habíamos bajado a la playa, él se había encargado de guardar todas las maletas en el *lobby* del hotel.

—¿Pero las dejaste en el *lobby*? –preguntó mi madre, como si eso fuera el peor error del mundo.

—Mujer, ¿dónde querías que las dejara? –se defendió Quique–. Como tenían tanta prisa por ir a la playa...

—Entonces el hotel tendrá que hacerse responsable –protestó Felipe.

—Exacto –dijo mi madre.

—Los del hotel dicen que seguramente lo que ha pasado es que las subieron por error a un autobús que iba al aeropuerto con otros huéspedes –explicó.

—En definitiva —dijo Alicia—, por el momento estamos sin maletas y sin camisetas y sin nada, y mañana tenemos que jugar el primer partido.

—Esa es más o menos la situación —dijo Quique.

—¿Y qué hacemos ahora? —preguntó Alicia.

—Pues, por ahora, ir al sorteo del torneo, que empieza en diez minutos.

Aquello salvó al padre de Camuñas, porque mi madre ya estaba con la cara que pone cuando va a discutir con mi padre.

Los mayores decidieron que mientras mi madre y el padre de Camuñas iban a una tienda de deportes a comprar los uniformes para el primer partido, por si acaso, Felipe y Alicia nos acompañarían al sorteo.

El sorteo se celebraba en el Gran Hotel de Benidorm, en el salón de actos, y casi llegamos tarde porque a Gervasio, que es el chofer del autobús, se le había descompuesto el GPS y nos perdimos.

Pero llegamos, que es lo que importa. Y allí estaba todo el mundo.

Los organizadores del torneo.

Los patrocinadores.

Algunos políticos de la zona, que se les notaba que eran políticos porque eran los que más sonreían.

Había un montón de periodistas tomando fotos a los participantes en el torneo, sobre todo a los del Cronos.

Allí estaban los jugadores de todos los equipos.

Los conocíamos a todos, pero aun así era increíble verlos allí.

Estaban los italianos del Inter de Milán, con su camiseta negra y azul.

El Inter de Milán es uno de los clubes más importantes de la historia del futbol. Ha sido campeón de Europa tres veces y campeón de Italia dieciocho veces.

Son muchas veces.

Los jugadores que estaban allí no eran los mayores, eran los del equipo infantil. Pero aun así, eran del Inter de Milán.

–¡Son muy elegantes! –dijo Camuñas.

Las chicas le dieron la razón.

–Estás muy raro –dijo Tomeo–. Ahora todos los rivales te parecen guapos... o elegantes... No sé qué te pasa. Además, su uniforme es muy parecido al nuestro.

–Es parecido pero no es igual –dijo Camuñas.

–Los italianos son muy apuestos y muy elegantes, lo sabe todo el mundo –añadió Helena.

–Bueno, bueno, cuidadito con ellos. Nosotros, a enfocarnos en el futbol, ¿eh? –cortó Felipe, al que seguro que le molestaban las miradas que le estaba echando el entrenador del Inter a Alicia desde su butaca.

También estaba el equipo campeón de África, el Strekker de Johannesburgo, que tiene a dos delanteros enormes, los hermanos gemelos Musala, a los que llaman "los leones de Pilanesberg".

Cuando los vi, no podía creer que tuvieran once años.

–¡Pero si nos sacan cabeza y media a todos! –dijo Camuñas–. ¡Parece que tienen dieciocho!

–Esos ya se afeitan, te lo aseguro –siguió Toni.

Detrás de ellos estaban sentados los del Huang Shi, de China. En ese equipo juegan Li Han y Mao Ye, que son las dos punteras más rápidas del mundo, y que no paraban de moverse en los asientos hasta que llegó su entrenadora y les llamó la atención.

Y el San Esteban de Argentina, con los defensas más duros que hay: Erice y Quintana. Dicen que han lesionado a más gente a su edad que muchos profesionales en toda su carrera.

Aunque yo creo que es mentira y que son solo rumores para asustar a los rivales.

No parecían tan malos ni tan duros vistos de cerca, la verdad. Estaban haciendo bromas entre ellos mientras hablaban con las chicas del Huang Shi, que son muy lindas.

Supongo que para verlos dar patadas habría que esperar a los partidos.

Los que se encontraban más cerca de donde estábamos sentados nosotros eran los portugueses del Rias Boas.

También estaba el equipo local, el Colci de Benidorm, que iba invitado, como nosotros. Pero la atención de todos, hasta de los del mismo Colci, estaba centrada en un equipo que era mucho más famoso que todos los demás juntos.

El Cronos.

El mejor equipo infantil del mundo.

No lo podíamos creer.

—Hace dos días estaba jugando con Lucien en la Dream, y ahora míralo, ahí está —dijo Ocho.

–Es el mejor del mundo... –dijo Camuñas.

–Sí, sí, y el más guapo, ya lo sabemos, no hace falta que lo repitas –dijo Tomeo.

–Tonterías –dije yo esperando que se callaran.

Pero nadie me hizo caso.

—¿Qué te dijo Lucien, Helena? —preguntó Anita.

—Es muy simpático. Me preguntó cómo había sido nuestro viaje, y también me dijo que le encantaba Benidorm —explicó mientras saludaba con la mano al mismo Lucien en persona.

—Claro, le encanta Benidorm como a todos los turistas —dijo Angustias.

–¿Es verdad que viajan en un avión privado? –preguntó Marilyn.

–¿Y que les dan de comer todo lo que pidan, sea la hora que sea? –siguió Tomeo.

–¿Y que tienen clases particulares para jugar a la Dream? –preguntó Camuñas.

–Silencio, que va a empezar el sorteo –dijo Alicia.

En mitad del escenario había una urna con ocho bolitas, y junto a ella estaban el alcalde de Benidorm y una chica muy bonita que es una actriz que aparece en una serie de televisión y que también es de Benidorm.

Los dos sonreían mucho y decían que todo era muy emocionante y que estaban superemocionados.

–Estamos muy emocionados –dijo la chica.

Pero el caso es que no sacaban las bolitas.

Después soltaron un discurso sobre lo bonito que es Benidorm, y que es la mayor ciudad turística de España y del mundo, y que la visitan millones de personas cada año. Y que las playas son las mejores...

Y otra vez que estaban superemocionados y que qué emocionante era el momento...

Pero seguían sin sacar las bolitas.

Yo creo que lo hacían a propósito para ponernos a todos todavía más nerviosos de lo que ya estábamos.

–¿Va a haber sorteo o no va a haber sorteo? Porque a mí ya me está dando hambre –dijo Tomeo.

Y cuando dijeron por tercera vez lo superemocionados que estaban...

...por fin empezaron a caer las bolitas.

La actriz tomó una y la dio vuelta. Tenía una cámara cerca, así que cuando la acercó se vio bien grande en una pantalla gigante.

El nombre que decía era Soto Alto.

—Soto Alto —dijo la chica.

Hubo un murmullo (y algunas risas) y todos nos revolvimos en nuestros asientos.

—Eso es porque todos los equipos quieren que les toque con nosotros —dijo Angustias.

—Pues quizá luego se tengan que tragar las bromas —respondió Toni.

—Sí, seguro —dije yo.

Aunque lo dije en voz baja.

Mientras hablábamos, cayó la siguiente bolita

Nuestro rival.

El primer partido lo jugaríamos contra un equipo que había sido campeón de Europa. Y del mundo.

–¡El Inter de Milán! –dijo la chica sobre el escenario.

Felipe y Alicia se quedaron quietos, sin mover ni un músculo de la cara.

Nosotros tampoco nos movimos.

Los del Inter parecían contentísimos.

Sonreían y nos miraban como diciendo: "Ya van a ver".

–Yo quiero irme a casa –dijo Angustias.

–Lo que cuenta no es ganar o perder –dijo Felipe–. Aquí hemos venido a pasarla bien y a aprender y disfrutar de la experiencia.

Pero no lo dijo muy convencido.

–Eso lo dirás por ti –dijo Toni–. Aquí todos han venido a ganar el torneo.

Es verdad que, mirando a los del Inter, no parecía que hubieran venido a disfrutar de la experiencia.

Más bien parecía que tenían ganas de meternos una goleada.

Y supongo que no sería muy difícil que lo hicieran.

Mientras discutíamos iban sacando el resto de las bolitas, y cada vez que salía un nombre, había murmullos y aplausos.

Los demás partidos quedaron así:

Cronos - Huang Shi.

Rias Boas - Strekker.

Colci - San Esteban.

Y, como ya he dicho:

Internazionale de Milán - Soto Alto.

Nos había tocado en la primera ronda el Inter de Milán.

El torneo era una eliminatoria directa.

El que gana pasa a la siguiente ronda.

Y el que pierde queda fuera.

–Nos tocara quien nos tocara, nos íbamos a ir para casa; por lo menos, así podremos decir que hemos jugado contra el Inter de Milán –dijo Anita.

—Eso es verdad —dijo Camuñas intentando darse ánimos—. Son tan elegantes...

—Y tan buenos... —dijo Ocho.

—Y tan altos... —dijo Marilyn.

—Ya basta —dijo Helena—. Una cosa es que nos ganen, y otra que les regalemos el partido.

—Exacto —dije yo—. Lo más probable es que nos ganen, incluso que nos metan una goleada. Puede que hasta sea una goleada histórica y escandalosa, pero no les vamos a regalar el partido.

—Muy bien dicho, Pakete —dijo Alicia—. Somos un equipo pequeño, pero tenemos la oportunidad de demostrarle al mundo que no siempre ganan los poderosos.

Todos nos empezamos a dar ánimos y a decir que íbamos a luchar, y que teníamos que intentarlo.

—Pero ni siquiera tenemos camisetas, ni botines —dijo Angustias.

—Eso es verdad —dijo Felipe—, pero tenemos algo mucho más importante...

Todos lo miramos.

¿Qué tenemos?

¿Dignidad?

¿Orgullo?

¿Espíritu de equipo?

—Tenemos... dos entrenadores, y ellos solo tienen uno —dijo Felipe, y empezó a reírse.

–¿QUÉ-ES-ESO? –preguntó Toni señalando lo que el padre de Camuñas tenía en las manos.

Era una palyera blanca con el dibujo de una palmera en la que se leía: "I Love Benidorm".

–Es lo único que tenían de su talla –dijo mi madre.

–Y además estaban de oferta –añadió Quique.

Probablemente era una de las playeras más feas y de mal gusto que yo había visto en mi vida.

–Muy bonita –dijo Alicia–, pero aparte de eso, ¿compraron las camisetas de futbol?

Mi madre y el padre de Camuñas se miraron sin entender.

–Estas son las camisetas de futbol –dijo mi madre.

¿¡Qué!?

No solo eran horribles.

Además había otro detalle: ¡ni siquiera eran camisetas de futbol!

–¡Pero si son playeras para los turistas! –dijo Marilyn.

–Ya sabía yo que no teníamos que haber venido –enfatizó Angustias.

–Hacen juego con estos shorts –añadió Quique.

Y sacó de la bolsa unos trajes de baño amarillos con lunares negros.

Todos nos quedamos en silencio.

–Perdonen que los moleste. Sé que lo han hecho con la mejor voluntad –dijo Felipe–, pero aparte de que son feos como un demonio, no son camisetas ni shorts de futbol. ¡Son trajes de baño y playeras turísticas!

–A mí las camisetas no me parecen tan feas –dijo Camuñas.

Pero yo creo que nadie lo oyó.

–Una cosa es que hagamos el ridículo jugando –dijo Toni–, pero con esto vamos a hacer el ridículo antes de jugar.

–A lo mejor así no se fijan en lo mal que jugamos –dijo Anita.

–Ay, madre mía –dijo Angustias, y emitió un suspiro.

–Por una vez, estoy de acuerdo con Felipe –dijo Alicia–. Por supuesto que lo más importante no son las camisetas... Pero con eso no podemos jugar.

Y todos empezamos a hablar al mismo tiempo.

Que aquello era un desastre.

Que se iban a reír de nosotros.

Que no era serio presentarse a un partido contra el Inter de Milán con esa pinta...

Y entonces alguien dijo:

−¡Ya basta de tonterías!

Nos quedamos callados.

Y miramos a la persona que había pegado ese grito: mi madre.

−¿Se puede saber qué les pasa? −preguntó mi madre−. Están de viaje con sus amigos, los hemos traído a la playa, van a

jugar uno de los torneos de futbol infantil más importantes del mundo, ¿y lo único que les importa son las camisetas?

—Y los shorts –dijo Tomeo.

—Ni shorts ni camisetas ni nada –dijo mi madre–. La verdad es que no sé si se merecen estar aquí. ¿Ustedes saben cuánto costó inscribirlos en este torneo y que los admitieran? ¿Se imaginan la cantidad de niños y niñas de todo el mundo que estarían felices de estar aquí en su lugar? Y lo más importante: ¿van a portarse como unos niñitos consentidos, o van a aprovechar la oportunidad que les estamos dando y van a jugar futbol como un equipo de verdad sin importarles si la camiseta que llevan es más o menos bonita?

De repente, mi madre parecía otra persona. Alguien que sabía muy bien lo que estaba diciendo.

Nos miramos entre nosotros.

—Tienes razón, Juana, perdona –dijo Helena.

—Es verdad –dijo Anita–. ¿Qué importan unas playeras y unos trajes de baño?

Sí, sí, todos asentimos.

Tenía toda la razón.

—Y además, les digo otra cosa –añadió el padre de Camuñas muy orgulloso–, que los shorts estaban en oferta, y conseguimos un precio buenísimo por todo el lote, que también eso es importante.

Nos abrazamos y prometimos que a partir de ese momento dejaríamos de preocuparnos por tonterías y aprovecharíamos el viaje de verdad.

—Muy bien —dijo Toni—, todo muy bonito, pero ¿alguien ha comprado botines de futbol? ¿O vamos a jugar en chanclas?

Tenía razón.

En las maletas perdidas no solo estaban las camisetas y los shorts, también los botines.

Y cualquiera sabe que sin botines no se puede jugar.

—Pues mira, me alegra que hagas esa pregunta —dijo Quique.

—A mí también —dijo mi madre.

Los dos se miraron.

—Porque, por el momento, botines no tenemos —dijo Quique—. Ahora bien, ¿eso significa que van a jugar descalzos? No. ¿Significa que nos vamos a gastar un dineral en botines nuevos para todos? Eso sería algo fácil, pero no. ¿Que si tengo la solución en este instante? Pues para ser sincero, no la tengo. ¿Que la tendremos mañana antes del partido? Por supuesto.

¿Eh?

¿Qué había querido decir el padre de Camuñas?

—En resumen, no tenemos botines ni sabemos si los vamos a tener —dijo Angustias, y suspiró.

Eran los botines más increíbles que había visto en mi vida.

No sé si eran de fibra de carbono como los trajes de los astronautas, pero lo parecían.

Tenían varias capas de distintos colores superpuestos, y unas suelas acolchadas especiales que cuando te los ponías parecía que estabas corriendo sobre almohadones.

No sé explicarlo.

Sencillamente, eran los mejores botines de futbol del mundo.

Y tenían una inscripción enorme que decía: "DREAM".

—Es honor por nosotros regalar estos tenis al equipo Soto Alto —dijo delante de todos, hablando en español pero con acento de Suecia.

Griselda Günarsson era la encargada de relaciones públicas de la Compañía Dream Cronos.

Era muy rubia y un poco gordita.

Iba vestida con un traje sastre.

Y después nos entregaron unos botines de futbol Dream nuevecitos a cada uno.

—¿Y es gratis? —preguntó mi madre en voz baja a Quique.

—Claro, mujer. Nos tomamos unas fotos con ellos y todo arreglado —dijo él—. Si son muy buena onda...

—Mucho ojito —respondió mi madre—, que no vinimos aquí para darle publicidad a nadie. Lo de los botines, vaya y pase, pero nada más, ¿de acuerdo?

—De acuerdo –dijo el padre de Camuñas.

Y acto seguido le dio la mano a la señora Günarsson y los periodistas les sacaron fotos, y luego también nos tomaron un montón de fotos a nosotros, que sonreíamos con cara de tontos mientras nos daban los botines.

—Son alucinantes –dijo Tomeo.

—A mí me da cosa ensuciarlos –dijo Angustias.

Los botines nos los iban dando los jugadores del Cronos.

Nos colocaron por parejas.

Uno del Cronos con uno del Soto Alto. El del Cronos nos daba los botines y nosotros teníamos que sonreír, mientras nos sacaban fotos.

A mí me costó mucho sonreír.

La chica que me dio los botines era una niña turca que habían fichado este año y que se llamaba Nihal.

Era muy morena y tenía los ojos muy oscuros, y me miraba como si fuera a darme un empujón en lugar de regalarme unos botines.

Bueno, los botines no me los regalaba ella. Pero de todas formas, me los tenía que entregar.

—Toma, botines Dream para jugar futbol, no para correr en la playa –dijo muy seria.

—Claro, claro –dije yo, también muy serio.

—Era broma –dijo Nihal.

—¡Ah!, perdona, no lo había captado –respondí, y me puse un poco colorado.

Así que salí rojo como un jitomate en las fotos, mientras la chica turca sonreía a las cámaras como si hubiera hecho eso un millón de veces.

—Pero sonríe, hombre, sonríe —me dijo uno de los fotógrafos.

Y yo de verdad lo intenté, pero solo me salía una mueca con la boca apretada.

Con nosotros terminaron enseguida, y luego siguieron con las otras parejas.

No sé si fue casualidad o no, pero a Helena le tocó con Lucien.

Y fue el momento en el que más flashes de fotos y más murmullos hubo. A los fotógrafos les parecían "una pareja encantadora".

—Son lindísimos los dos —dijo uno.

—Qué buena pareja hacen —dijo otro.

Y les sacaban fotos y más fotos.

Y como Lucien está muy acostumbrado a eso de las cámaras y se maneja muy bien en actos públicos, improvisó y le dio un beso a Helena en la mejilla.

Todo el mundo se puso a aplaudir, y los flashes de las cámaras casi nos cegaron.

Camuñas pasó a mi lado y me dijo:

—Son la pareja perfecta.

Y después se puso a aplaudir con ganas.

Entonces crucé una mirada con Toni.

Él también los miraba con mala cara.

Parecía que a Toni tampoco le caía muy bien Lucien.

Creo que era la primera vez que teníamos algo en común.

Y ahí estuvimos hasta que los fotógrafos se cansaron.

La cuestión es que ya teníamos todo para jugar.

Las camisetas de "I Love Benidorm".

Los shorts amarillos con lunares negros.

Y los botines supersónicos Dream.

Ahora solo teníamos que esperar que llegara la hora de nuestro partido.

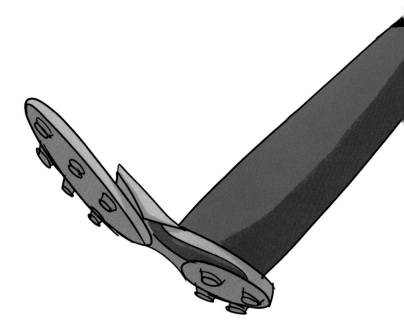

10

Esa noche soñé que jugábamos con el Inter de Milán.

Y que ganábamos el partido.

Ya sé que solo era un sueño.

Pero fue buenísimo.

Yo metía el gol decisivo en el último minuto.

Y entre todos me sacaban de la cancha llevándome en andas.

Me desperté con muchas ganas de jugar.

Salí de la cama y vi que Camuñas, que era mi compañero de cuarto, estaba durmiendo.

Lo iba a llamar y entonces vi la hora en el despertador: las 6:15.

Me había despertado muy temprano.

Demasiado.

Pero ya no tenía ganas de volver a acostarme.

Así que me vestí para ir a desayunar al bufet.

Una de las cosas que más me gustan de los hoteles grandes son los bufets.

Hay un millón de cosas para comer y puedes repetir todas las veces que quieras, y nadie te dice que te termines los platos. Puedes dejarlos a medias y servirte otra cosa.

Me encantaría desayunar en un bufet todas las mañanas de mi vida.

—¿Vienes a desayunar? —le pregunté a Camuñas antes de salir.

Pero él ni contestó. Seguía dormido.

Así que lo dejé allí y me fui yo solo.

Subí al último piso y llegué a la puerta del restaurante.

El bufet de desayuno estaba todavía cerrado. Abría a las 7.

Pero como no tenía nada que hacer, decidí esperar.

Me senté en un sillón enorme que había junto a la puerta y me puse a pensar en el partido.

En ese momento, oí algo que me llamó la atención.

—¡No estoy segura!

—Pero ¿por qué?

Las voces me resultaban conocidas.

Me levanté y giré por una esquina hasta que los vi al fondo, en una pequeña terraza que daba al mar.

Estaban los dos solos.

Y parecía que estaban discutiendo.

Eran Felipe y Alicia.

Ya sé que no hay que espiar a los mayores ni hay que espiar a nadie.

Pero lo que pasa es que yo no tenía nada que hacer.

Así que me pegué a la pared y escuché con atención lo que estaban hablando.

–No podemos hacerlo sin decírselo antes –decía Alicia–. Tenemos una responsabilidad con el equipo.

–Pero es que están muy ilusionados. ¡Han trabajado tanto para que todo saliera perfecto...! Tenemos que aprovechar la oportunidad. Hay que hacerlo ya –le respondió Felipe.

–Si lo hacemos y se enteran, van a llevarse una decepción.

–Es un montón de dinero. Por una vez, piensa en nosotros.

Después de decir eso, se alejaron por la terraza y dejé de oír lo que decían.

¿De qué estaban hablando?

¿Qué era lo que les daba tanto miedo hacer?

¿Por qué tenían miedo de decepcionarnos si lo hacían?

¿De qué dinero hablaban?

¿Se habían metido en un lío?

No sabía qué significaba todo aquello.

Ante tantas preguntas, solo se me ocurrió una cosa.

Bajé a despertar a Camuñas y le conté lo que había oído.

–¿Pero de qué hablas? –me preguntó él.

–De Alicia y Felipe. Estaban los dos solos hablando a escondidas, y decían algo de aprovechar una oportunidad, y de dinero y más cosas que no entendí.

–¿Y...?

–Nada, eso, que es muy raro –dije yo.

–No sé qué le ves de raro.

A veces Camuñas no se quiere dar cuenta de las cosas.

–Todo –insistí–. A ver, ¿por qué estaban los dos solos hablando tan temprano en ese lugar? ¿A qué dinero se referían?

Camuñas me miró de arriba abajo y me dijo muy tranquilamente:

–Mira, Pakete, yo creo que ves cosas raras por todas partes.
Una cosa es lo que nos pasó con los árbitros dormidos, pero
no siempre hay casos extraños para investigar. Alicia y Felipe
son novios, ¿no? Entonces, estarían hablando de sus cosas.

Le iba a contestar a Camuñas, pero no tenía respuesta. Así
que lo pensé mejor y le dije:

–¿Vamos a desayunar?

Camuñas sonrió.

–Ahí acertaste –dijo.

11

Todos los partidos del torneo se jugaban al aire libre. En el complejo deportivo Benidorm Arena.

Nuestro partido se jugaba por la tarde.

Así que por la mañana pudimos ver jugar a los otros equipos.

En la primera eliminatoria debutó el Cronos contra los chinos del Huang Shi.

Esto es lo que pasó en la primera jugada del torneo.

Lucien tocó para Nihal, y ella la pasó atrás, a su defensa.

El defensa la enganchó sin dejar que la pelota tocara el piso.

Y pegó un zambombazo impresionante.

La pelota subió trazando un arco, al principio.

Y después bajó de repente. Lo que se llama una "hoja seca".

La pelota entró en el arco del Huang Shi.

1-0 para el Cronos.

Tiempo transcurrido: cuatro segundos.

¡Increíble!

Era como ver un partido de videojuegos, pero en directo.

Los chinos estaban muy bien organizados y además tenían a Li Han y Mao Ye, las dos punteras superrápidas.

Eran los campeones de Asia y daba gusto verlos jugar.

—Se pasan la pelota tan rápido que ni la ves —decía Felipe, admirado.

Pero aun así no pudieron hacer nada.

Jugaban contra el Cronos.

El resultado fue 4-0 para el Cronos... en la primera parte.

Lucien metió tres de los cuatro goles.

El último, justo antes del medio tiempo, fue uno de los mejores que vi en mi vida.

El lateral derecho, Mikkelsen, le hizo un sombrero al lateral chino, y después mandó un centro sin mirar.

Y Lucien, desde fuera del área, le pegó de chilena.

Yo no sé cómo saltó, porque la pelota iba altísima, pero el caso es que llegó.

La pelota voló directo hacia la portería, como una bala.

Y entró por el ángulo.

Todo el mundo se volvió loco. Los comentaristas de la tele, el público, los de la banca de suplentes del Cronos...

A uno de la banca del Huang Shi se le escapó un aplauso.

Todo era perfecto.

Lucien giró hacia donde estábamos nosotros.

Y le dedicó el gol a Helena.

Ella se puso muy nerviosa y le dio risa. Le había dedicado un gol el mejor futbolista del mundo, delante de todos.

–Oye, Helena, te quería hacer una pregunta –dije.

–¿Sí?

–¿Tú desde cuándo sabes francés?

—Desde hace mucho —dijo ella, como si fuera lo más natural del mundo—. Mis tíos tienen una casa en Biarritz, y todos los veranos voy allí con ellos.

—Ah, no lo sabía.

—No pasa nada, Pakete —me dijo ella sonriendo—. Hay muchas cosas que no sabes.

Y se puso de pie para aplaudir a Lucien y a los del Cronos, que volvían a la cancha para jugar el segundo tiempo.

Yo ya tenía bastante con aquello, así que me fui de allí.

Pasé delante de Felipe y Alicia, que parecían muy tranquilos y ahora no hablaban de cosas extrañas.

Me quedé en una esquina de la cancha, solo, pensando en mis cosas. No tenía ganas de oír a Helena y Marilyn y Camuñas, mientras todos aplaudían y decían lo buenos que eran Lucien y los del Cronos.

En la segunda mitad, los del Cronos se relajaron un poco, pero incluso así metieron otros tres goles.

Resultado final:

Cronos, 7 - Huang Shi, 0.

Felipe y Alicia se quedaron con la boca abierta cuando el entrenador Habermas comenzó a regañar a sus jugadores al final del partido, en vez de felicitarlos. Parecía un sargento más que un entrenador de futbol, y gritaba tanto que, cada vez que hablaba, largaba escupitajos y los chicos tenían que apartarse.

Según él, no se puede bajar la intensidad aunque se vaya ganando. Siempre hay que dar el cien por ciento.

—Como si fueran tractores en vez de niños jugando futbol —dijo mi madre.

Los del Cronos habían ganado por siete a cero y salieron de allí casi llorando.

Excepto cuando les pusieron una cámara cerca para hacerles una entrevista. Entonces sonrieron otra vez.

Después jugaron los portugueses del Rias Boas contra los sudafricanos del Strekker. Fue un partido muy táctico, como dicen los periodistas.

O sea, aburridísimo.

—Yo no entiendo cómo juegan tan conservadores, con esos leones que tienen —dijo el padre de Camuñas.

La verdad es que daba un poco de cosa ver a los hermanos Musala, con lo enormes y lo buenos que eran, encerrados atrás, defendiendo, en vez de atacar.

Porque cada vez que agarraban la pelota, era como una estampida. La gente en la tribuna se ponía a rugir, y los Musala se lo llevaban todo por delante.

Entonces pasó una cosa increíble.

En un tiro de esquina, uno de los portugueses, Marcelinho, saltó con Ibrahim Musala, el más grande de los gemelos.

Marcelinho era el más bajito de los portugueses. Tan bajito que lo llamaban Lentejita.

Los dos chocaron en el aire, y la gente se llevó las manos a la cabeza temiendo que Lentejita saliera lesionado, o algo peor.

Pero Lentejita era muy astuto y colocó su cadera justo bajo la de Musala, y este perdió el equilibrio y salió despedido.

Lentejita cayó de pie y siguió jugando como si nada.

Y Musala se pegó un golpazo contra el suelo, y dio cuatro o cinco vueltas al caer.

Desde entonces, los Musala parecieron menos fieros y los portugueses atacaron un poco más.

Pero aun así, el partido acabó en empate cero a cero.

En los penales, ganaron los portugueses.

El portero Teixeira es buenísimo y dicen que lo va a fichar un equipo importante, o incluso el mismísimo Cronos, y atajó tres penales.

Los sudafricanos se tiraron al suelo y empezaron a llorar, y lloraron tanto que contagiaron a todos los que había allí. Lloraron las madres de los sudafricanos, y luego las madres de los portugueses también lloraron, al principio de alegría y luego de pena al ver a los sudafricanos tan tristes.

Y se abrazaron y siguieron llorando, y allí lloraba tanta gente que aquello parecía una telenovela.

Así terminó la mañana.

Por la tarde debutábamos nosotros.

Y pasaron cosas muy muy raras.

Los equipos anfitriones suelen hacer casi siempre un buen papel en sus torneos.

Argentina ganó su mundial.

Y Uruguay, y Francia, y también Italia y Alemania (la primera vez). Hasta Inglaterra.

España no. Ganó uno después, aunque eso ahora no tiene nada que ver.

Pero a lo que iba era: cuando un equipo juega de local, casi siempre suele hacer un buen papel.

Incluso Corea del Sur llegó a semifinales en el mundial que jugó en su país.

El anfitrión de nuestro torneo era el Colci de Benidorm, y jugaban el primer partido contra los argentinos del San Esteban, que eran los campeones infantiles de América del Sur.

El ganador de este partido sería nuestro rival en semifinales.

Eso suponiendo que nosotros le ganáramos al Inter.

Lo cual, si estuviera aquí mi profesor de matemáticas, el Tábano, diría que era una posibilidad entre un millón.

El Colci es un buen equipo, pero no es campeón de nada, y juegan el torneo porque son de Benidorm y el anfitrión juega siempre.

Pero la cuestión es que, aunque nadie apostaba por ellos, jugaron un partido buenísimo. Tenían muchísimas ganas, y se notaba que llevaban mucho tiempo entrenando, y peleaban cada pelota como si fuera la última.

Y además tenían algo muy importante que no tenía nadie más: el apoyo del público, que no paraba de gritar y de animar y le metía muchísima presión a los argentinos cada vez que tomaban la pelota.

Unos aficionados locales, Paellas Colci, habían acudido al estadio con paelleras vacías, y las golpeaban con cucharas.

Sin parar.

Durante todo el partido.

Más de cincuenta paelleras sonando al mismo tiempo hacen mucho mucho ruido.

Justo antes del medio tiempo, en un contraataque muy rápido, la pelota le llegó al delantero central del Colci, Pacheco, y este fusiló al portero del San Esteban.

Los de las paelleras se volvieron locos.

Parecía que aquello era la final de la Champions.

Después del medio tiempo, los argentinos parecían asustados, por el ruido, por los gritos y, por supuesto, por las paelleras. Yo creo que no habían visto una cosa así en su vida.

La verdad es que yo tampoco.

Parecía que lo más importante del partido ocurría en las tribunas, y no en la cancha.

Ningún equipo volvió a meter un gol.

Así que el equipo local, sin hacer grandes cosas, ganó el partido por uno a cero.

Yo diría que el resultado fue:

Paelleras de Benidorm, 1 - San Esteban de Argentina, 0.

El Colci, el equipo local, había eliminado a uno de los favoritos, los campeones de Sudamérica.

Todo el mundo se puso como loco, y los de las paelleras saltaron a la cancha y se pusieron a bailar y a hacer el trenecito en mitad del terreno de juego.

Pero nosotros no teníamos tiempo para eso.

Nuestro partido estaba a punto de empezar.

Nuestro partido se retrasó hasta que los de las paelleras y el resto de la gente salieron del campo.

Estaban celebrando el triunfo del Colci.

Y sinceramente, nuestro partido con el Inter yo creo que no les importaba para nada.

Al final tuvo que intervenir la policía municipal de Benidorm para retirar a los últimos, que eran los de las paelleras, claro.

Por fin salimos a la cancha.

Y entonces nos dimos cuenta realmente de lo grande que era.

El Benidorm Arena era el estadio más grande en el que habíamos jugado nunca.

Además tenía unas tribunas enormes, y parecía que tenías al público encima.

La verdad es que daba impresión jugar allí.

Y más con el Inter de Milán.

Yo miré a Camuñas y a los demás, que parecían tan asustados como yo.

Angustias resumió lo que estábamos pensando todos en tres palabras:

—¡Ay, madre mía!

Íbamos con nuestras playeras y nuestros shorts de turistas.

Y aunque no lo parecía, con esa pinta que teníamos, era un momento histórico para nosotros.

Íbamos a jugar el partido más importante de la historia de Soto Alto.

Entonces sucedió algo muy extraño.

Me agaché para atarme otra vez los botines que nos habían regalado, que me quedaban un poco grandes.

Y al levantarme, nos miramos los unos a los otros, con esas camisetas ridículas.

Miré a Camuñas... y empecé a reírme.

Él me miró como si me hubiera vuelto loco.

Pero después, al ver la cara que ponía Tomeo y la pinta que tenía con la camiseta, que encima le quedaba chica y se le salían las llantas, también empezó a reírse.

Y así, uno a uno, todos empezamos a reírnos.

Era una imagen muy curiosa:

En un lado del campo, el Inter de Milán. Perfectamente vestidos, alineados, y muy serios y concentrados.

Y en el otro lado, siete niños y niñas con shorts y playeras de oferta, riéndose sin parar.

El árbitro nos llamó la atención.

—¿Empezamos a jugar o nos ponemos a contar chistes, señores? —dijo.

Por fin empezó el partido.

Y ocurrieron dos cosas que nadie se esperaba. Ni siquiera nosotros mismos.

Lo primero que pasó fue que los de las paelleras, que aún no se habían ido, vieron nuestras camisetas de "I Love Benidorm" y les hizo mucha gracia, así que se quedaron a apoyarnos.

–¡Vamos, chicos!

–¡A mojarles la oreja a los italianos!

Y dale a golpear las paelleras una y otra vez.

Sin esperarlo, teníamos al público de nuestra parte. Y totalmente entusiasmado.

La segunda cosa que ocurrió fue que los dos delanteros del Inter nos robaron la pelota apenas sacamos del centro, hicieron una pared perfecta hasta nuestra área, se plantaron solos delante de Camuñas... y nos metieron un gol casi antes de que pudiéramos enterarnos.

¡Gol del Inter!

No había sido tan rápido como el del Cronos.

Habían tardado siete segundos.

¡Siete segundos y ya íbamos perdiendo por uno a cero!

La cosa no pintaba muy bien.

Inter de Milán, 1 - Soto Alto, 0.

Aunque al menos teníamos a los de las paelleras de nuestra parte.

–En realidad nos apoyan porque si ganamos tendríamos que jugar contra ellos, y saben que contra nosotros va a ser más fácil llegar a la final –dijo Angustias.

–Y qué importa por qué. La cuestión aquí es que nos echan porras a nosotros –dijo Marilyn.

—Exacto —dijo Helena—. Tenemos que estar más concentrados, vamos a jugar, esto va en serio.

Felipe y Alicia hacían gestos desde la banda.

—No pasa nada, vamos —dijo Alicia.

—¡No pierdan la posición! —gritó Felipe—. Podemos aguantar.

Los italianos eran tremendos.

El mejor equipo contra el que habíamos jugado.

Y posiblemente el mejor contra el que jugaríamos nunca.

Sacamos del centro, Toni tomó la pelota, pero una jugadora muy chiquitita del Inter, la número 7, pasó a su lado a toda velocidad y se la robó.

Sin pensarlo ni medio segundo, armaron un contraataque rapidísimo, y antes de que pudiéramos reaccionar, ¡zas!

Otro golazo.

¡El segundo gol del Inter!

Camuñas estaba en el suelo lamentándose.

Minuto uno y medio de partido.

Internazionale de Milán, 2 - Soto Alto, 0.

La cosa no pintaba muy bien.

Mi madre saltó al terreno de juego y dijo:

—¿Qué pasa, se olvidaron de cómo jugar futbol?

El árbitro, al verla, le dijo que hiciera el favor de salir de allí.

Pero mi madre es muy cabeza dura, y cuando se le mete algo entre ceja y ceja no para.

Sin hacer ningún caso al árbitro, nos dijo:

–Entre las risas y las paelleras y las camisetas ridículas, se les olvidó que esto es un partido de futbol, y que tienen delante al Inter y que se juegan el todo por el todo...

El árbitro se puso muy serio.

–Señora, o sale ahora mismo del terreno de juego, o aviso a la policía.

Desde la banda, Quique le hacía señas a mi madre.

–Vamos, Juana, por el amor de Dios –dijo.

Los de las paelleras no paraban de dar golpes y de animar... a mi madre. Por lo visto, también les hizo gracia que una señora estuviera allí en medio gritándoles a los jugadores. La pasaban tan bien que cualquier cosa era una buena excusa para armar bullicio y golpear las paelleras.

Mi madre hizo un gesto a la tribuna, como diciendo: "Okey".

Luego nos miró a nosotros y, antes de irse, dijo:

–Yo ahora me voy a sentar, pero hagan el favor de concentrarse y jugar futbol.

Mientras salía, se cruzó con Felipe en la lateral.

–Muchas gracias, Juana, pero para decirles cosas a los chicos durante los partidos ya estamos nosotros, que somos los entrenadores –le dijo él.

–Tonterías –respondió ella.

Y sin más, se sentó de nuevo en la tribuna junto al padre de Camuñas.

Teníamos que sacar del centro por tercera vez en menos de dos minutos.

Nos miramos.

Y nos pusimos a hacer lo que más nos gusta en el mundo: jugar futbol.

Bueno, más o menos. No hacíamos más que correr detrás de la pelota, porque ellos se la pasaban a toda velocidad.

Pero por lo menos estábamos concentrados en el partido.

Tomeo estaba sudando como un pollo.

—Me mareo, Pakete, me mareo. Yo creo que es una bajada de azúcar o algo —dijo medio ahogado—. ¿Alguien me puede traer unas donas, por favor?

—¡A callarse y a correr! —le gritó Marilyn, onda capitana.

Corrimos como nunca en nuestra vida, pero aun así era casi imposible contenerlos.

A medida que pasaban los minutos, los italianos apretaban más y más. Parecía que eran ellos los que iban perdiendo.

Aquello era una auténtica avalancha.

Por lo menos, en los siguientes minutos no metieron más goles.

Camuñas despejaba pelotas todo el tiempo. Tantas, que de a ratos hasta parecía un buen portero. Cuanto más fuerte y mejor le tiraban, más pelotas atajaba.

—A lo mejor es que hay que patearle muy fuerte y no nos habíamos enterado —dijo Toni.

Pero ni con Camuñas en su mejor día alcanzaba contra el campeón de Italia.

Seguíamos perdiendo por dos a cero.

Aquello tenía muy mal aspecto.

Estaba a punto de terminar el primer tiempo.

Y todo cambió de repente.

ÚLTIMO MINUTO DE LA PRIMERA PARTE. SEGUIMOS PERDIENDO POR 2 A 0. EL ÁRBITRO ESTÁ A PUNTO DE PITAR EL FINAL DEL PRIMER TIEMPO.

14

LOS ITALIANOS ESTÁN MAREANDO LA PELOTA DÁNDOSE PASES ENTRE ELLOS, ESPERANDO TRANQUILAMENTE A QUE ACABE LA PRIMERA MITAD.

LOS DE LAS PAELLERAS SE COLOCARON DETRÁS DE LA PORTERÍA DEL INTER Y GOLPEAN CON FUERZA, ARMANDO UN GRAN ESCÁNDALO.

CLONC
BUM
BUM
BUM
BUM
CLONC
BUM BUM BUM
CLONC

¡YA BASTA! ¡ME DUELE LA CABEZA!

LOS DE LAS PAELLERAS, QUE SE HAN DADO CUENTA, GOLPEAN CON MÁS FUERZA.

NOSOTROS NOS QUEDAMOS QUIETOS, CONTENIENDO EL ALIENTO.

¡GOL EN CONTRA!
2 A 1.

Podíamos volver a Sevilla la Chica con la cabeza bien en alto.

Le habíamos metido un gol al Inter de Milán.

Bueno, en realidad se lo habían metido ellos mismos.

Pero daba igual.

El caso es que era un gol.

Soto Alto tenía un gol a favor.

Y eso era mucho más de lo que hubiéramos podido soñar unos minutos antes.

Mi madre y el padre de Camuñas se volvieron locos en la tribuna.

El resto de la gente lo celebró casi como si hubiera sido un gol del Colci.

Los de las paelleras gritaban, cantaban y reían sin parar.

Gran parte del gol había sido mérito de ellos.

Y lo sabían.

Así que durante el segundo tiempo se crecieron.

E hicieron todavía más ruido.

Nosotros aún no habíamos pateado al arco ni una sola vez.

Pero eso no importaba.

Perdíamos dos a uno.

Y teníamos que luchar con uñas y dientes.

Felipe y Alicia insistieron durante el medio tiempo en que teníamos que defender a muerte.

Solo nos separaba de ellos un gol.

Y mientras la cosa siguiera así, teníamos una oportunidad.

La clave estaba en que no metieran más goles.

–Pero tendremos que meter nosotros algún gol –protestó Toni.

En eso tenía razón el superchido.

–Paso a paso, Toni –dijo Alicia–. Ahora lo importante es jugar con orden y estar unidos.

Y así empezamos el segundo tiempo.

Defendiendo cada pelota como si fuera la más importante.

Los del Inter parecía como si estuvieran enojados con todo el mundo.

Sobre todo, el entrenador.

Había sentado al portero Gabriele y a Buonarroti en la banca de suplentes, por su error durante el gol.

Además, le protestó al árbitro por el escándalo que estaban armando en la tribuna con las paelleras.

Y también dijo que nosotros éramos unos caraduras, que habíamos visto lo que había ocurrido y nos habíamos quedado callados y sin decir nada.

¿Pero qué quería que dijéramos?

El gol se lo habían metido ellos solitos.

El árbitro le sacó tarjeta amarilla al entrenador del Inter por gritar.

Y entonces el hombre se puso como loco.

Empezó a hablar en italiano muy rápido, y lo tuvieron que sujetar porque se le echó encima al árbitro, como si quisiera pegarle.

Cuanto más nervioso se ponía, más tranquilo parecía el árbitro y más se reían los de las paelleras en la tribuna.

Al final, el árbitro expulsó al entrenador italiano.

Le sacó tarjeta roja y, como no se calmaba, la policía lo acompañó fuera del terreno de juego.

Y el partido continuó.

Pero los italianos ya no eran tan superiores como en la primera parte.

A ver, no es que nosotros dominásemos el partido ni nada parecido; simplemente, empezamos a jugar con más orden.

Y ellos parecían desconcertados por todo lo que había ocurrido.

Había sido cuestión de mala suerte. Pero se lo tomaron como algo personal.

Y además estaban sin entrenador.

Durante varios minutos no pasó nada importante.

Ellos tenían más tiempo la pelota, pero parecía que lo único que buscaban era que el partido se terminara cuanto antes.

El público estaba completamente a nuestro favor.

Y de verdad lo intentamos.

Incluso Helena hizo una gran jugada y llegó con el balón controlado hasta el borde de su área, pero no pudo patear porque dos defensas le hicieron un sándwich y la pelota salió por los aires.

Lo más increíble ocurrió justo después de esa jugada.

Era tiro de esquina a nuestro favor.

El primero que teníamos en todo el partido.

Toni tomó la pelota.

Helena, Tomeo y Angustias, que eran los tres más altos, subieron a cabecear el tiro de esquina.

Marilyn y yo nos quedamos atrás, por las dudas.

Tomeo es el más alto del equipo y ha subido a rematar todos los tiros de esquina desde que juega en Soto Alto.

Pues bien: nunca jamás había conseguido rematar.

Ni una sola vez.

No es que nunca hubiera metido un gol.

Es que ni siquiera había conseguido tocar la pelota.

Posiblemente es un récord negativo.

Pero ese día todo cambió para Tomeo.

Toni pateó el tiro de esquina con pierna cambiada, como hacía casi siempre. Pero le dio demasiado fuerte, y la pelota pasó por encima de todos los que estaban esperando en el área.

Y allí, pasado el segundo palo, donde se suponía que la pelota no iba a ir, estaba Tomeo. Estaba en el sitio equivocado, como siempre. Solo que ese día era el sitio perfecto, no sé si me explico.

Al ver venir la pelota hacia él, podía haber intentado rematar.

Pero como no estaba acostumbrado, se asustó.

Y en lugar de que Tomeo le diera a la pelota, pasó justo lo contrario.

La pelota le dio a Tomeo.

En el cuello.

El balón salió hacia arriba mientras Tomeo se quejaba del golpe.

Subió y subió... y el defensa central del Inter, Leonardo, pegó un salto enorme y le dio a la pelota con la cabeza con todas sus fuerzas.

Pero en lugar de salir del área, la pelota se fue hacia atrás.

Hacia la portería del Inter.

Totó, el portero suplente, reaccionó con los reflejos de un gato y estiró el brazo derecho a una velocidad increíble.

La pelota tocó la punta de su guante...

Pero no llegó a tiempo.

La pelota entró en la portería del Inter.

Por el ángulo.

Sin que el portero pudiera hacer nada.

¡¡¡Gooooooool de Soto Alto!!!

¡Y otra vez en contra!

Aquello era increíble.

El defensa central del Inter había metido un golazo de cabeza... en su propia portería.

El partido estaba a punto de terminar.

Y el resultado era 2-2.

Todos corrimos hacia Tomeo, que estaba con la boca abierta sin entender muy bien qué había ocurrido, y lo abrazamos.

—Pero qué hacen... No me empujen, que me duele la cabeza del pelotazo —dijo.

Pero todos nos tiramos encima de él.

Era una fiesta total.

¡Le habíamos empatado al Inter de Milán!

Los de las paelleras se volvieron locos.

Entre los gritos, las risas y los cacerolazos, aquello parecía cualquier cosa menos un partido de futbol.

Dos goles en contra durante el mismo partido era algo que yo no había visto nunca.

Pero aquello no había terminado todavía.

16

Lo voy a decir cuanto antes:

Nunca en la historia del futbol, que se sepa, un equipo ha metido tres goles en su propia portería durante un mismo partido.

Nunca jamás.

Los de las paelleras no sé si lo sabían, pero estaban muy entusiasmados.

Y gritaban:

—¡Otro, otro, otro, otro, otro...!

Querían que el Inter se metiera otro gol en contra.

Casi no quedaba tiempo.

El partido estaba a punto de terminar.

Según las normas del TIFIB, si se llegaba en empate al final de partido, se iba directamente a los penales. Sin alargue ni nada. A los penales.

Así que estábamos a punto de jugarnos todo en una serie de penales.

Tal vez en los penales podíamos tener un poco de suerte y eliminar al Inter.

¡Eliminar al Inter de Milán!

Solo pensarlo parecía un sueño.

Pero los jugadores del Inter no parecían estar de acuerdo.

Apenas sacaron del medio, atacaron en tromba.

Querían solucionar el partido por la vía rápida, como es lógico.

Sin esperar a los penales.

Se veían muy superiores.

Habían tenido mala suerte.

Así que hicieron una jugada rápida, y la pequeña jugadora con el número 7 pegó un zapatazo desde fuera del área.

Camuñas se puso en la trayectoria de la pelota y esta le dio de lleno en la panza.

¡La había atajado!

Su padre aplaudía como un loco desde las gradas.

—¡Ese es mi hijo! —gritó.

Pero al sacar con la mano, Camuñas dio un pase demasiado largo, y enseguida la volvieron a tener los del Inter.

Quedaban pocos segundos.

El número 11 del Inter fintó a Angustias, fintó a Tomeo y, cuando estaba solo delante de Camuñas, disparó con toda su alma.

Camuñas cerró los ojos y se quedó allí quieto en medio de la portería, sin atreverse a mover ni un solo músculo.

El tremendo disparo parecía que iba a entrar... Pero en el último segundo, se estrelló contra Camuñas y salió de rebote.

¡Camuñas había atajado con la cara!

Se quedó en el suelo, con la cara totalmente roja del golpe y un poco mareado.

–La atajé, la atajé –decía.

Aunque yo creo que no sabía ni lo que decía.

El pelotazo había sido tan fuerte que la pelota rebotó casi hasta el centro de la cancha... y allí la agarré yo.

En esos momentos era el jugador más adelantado de nuestro equipo.

Vi a Toni y a Marilyn un poco retrasados, abiertos en las bandas, y pensé en pasarles el balón para intentar ganar tiempo.

Pero en una décima de segundo pensé que no quería ganar tiempo.

Quería meter un gol.

Así que corrí con la pelota controlada hacia el arco del Inter.

Tenía delante de mí a dos defensas y al portero.

Y probablemente sería la última oportunidad del partido.

Corrí con toda mi alma.

Salió el primer defensa y me hizo una entrada tirándose al suelo hacia mí con las piernas por delante.

Pensé: "Ahora o nunca".

Así que salté por encima de él.

Y seguí adelante.

Aún tenía la pelota en mi poder.

Todo el mundo en la tribuna se puso de pie.

En silencio.

Hasta los de las paelleras se callaron por primera vez.

El partido estaba a punto de terminar.

Tenía la pelota.

Y delante de mí solo estaban el defensa central y el portero.

Pensé en patear desde lejos.

Pero en lugar de eso, me fui con la pelota hacia un costado del área.

El defensa me siguió.

Intenté eludirlo, pero era muy rápido.

Así que... chocamos.

Y los dos caímos al suelo.

El portero salió como un rayo a tomar la pelota.

Vi que la pelota había quedado muerta delante de nosotros.

El portero venía corriendo hacia ella.

Y el defensa y yo estábamos enredados, caídos en el suelo de manera absurda.

Si hacía un esfuerzo, tal vez podría llegar a la pelota y darle un toque hacia la portería.

Como el portero venía tan rápido, quizá con un pequeño toque podría meter un gol.

Lo intenté con todas mis fuerzas.

Pero el defensa italiano era más grande que yo. Y como ya dije, estábamos enredados en el suelo.

Todo parecía que estaba ocurriendo en cámara lenta.

Conseguí moverme.

Podía llegar a la pelota...

Pero el defensa vio mis intenciones, y consiguió incorporarse un poco y darle al balón antes de que llegara yo.

El defensa le dio a la pelota para evitar que yo la pateara.

Pero como él también se estaba levantando del suelo, no pudo darle bien.

Solo quería que la pelota quedara fuera de mi alcance.

Lo que pasó fue que, al alejar la pelota, la mandó... hacia su propio arco.

El portero Totó, que estaba a punto de llegar a la pelota, vio cómo su defensa se la quitaba.

La pelota pasó por debajo del portero sin que este pudiera hacer nada.

Y...

¡Sí!

¡La pelota entró en la portería del Inter!

¡Goooooool!

¡Gol! ¡Gol! ¡Gol!

Era el tercer gol en contra.

Era el 3 a 2.

Era un récord mundial.

Y apenas entró la pelota en la portería, el árbitro marcó el final del partido.

Habíamos ganado.

Al Inter de Milán.

Y lo más increíble de todo: habíamos ganado sin patear ni una sola vez a la portería.

La locura se desató en todo el estadio.

Mi madre y el padre de Camuñas se abrazaban como locos.

Mis compañeros y Felipe y Alicia se tiraron encima de mí y estuvieron a punto de asfixiarme.

Los de las paelleras armaron una tremenda fiesta y dijeron que estábamos invitados a comer paella en Benidorm siempre que quisiéramos.

Desde el suelo, mientras celebrábamos la victoria, pude ver que en la tribuna también había alguien más.

Estaban los del Cronos, observando todo lo que había ocurrido.

Estaba Lucien y también los otros jugadores.

La niña turca, Nihal, me miraba con cara de pocos amigos.

También estaba Griselda, la de relaciones públicas del equipo.

Y el entrenador Habermas, la leyenda.

Y dos hombres mayores, que yo en ese momento no conocía para nada, pero que poco después sabría perfectamente quiénes eran.

Pero ahora no era el momento de pensar en el Cronos.

¡Le habíamos ganado al Inter de Milán!

Y al día siguiente teníamos que jugar contra el equipo local: el Colci.

Y aquello no iba a resultar fácil: los de las paelleras ya no iban a echarnos porras.

17

La fiesta siguió en la alberca del hotel. Nos llevaron refrescos y nos dejaron pedir pizzas y hamburguesas y helados.

Pero el padre de Camuñas ya no parecía tan contento.

—Qué serio te veo, Quique —le dijo mi madre.

—Es por la responsabilidad que tenemos ante nosotros.

—Bueno, no te preocupes. Es algo lindo para los chicos.

—Claro, por supuesto, pero es un reto muy grande... Tan grande que quizás habría que llevarlos a un sitio más tranquilo, donde puedan estar más concentrados. A las afueras...

—Este hotel es fantástico. Aquí están perfectamente y lo están pasando genial. Además, lo elegiste tú, Quique, no molestes —dijo mi madre.

—Está bien, Juana...

Mi madre lo miró fijamente.

—Aquí pasa algo que no te atreves a decirme, ¿verdad? —preguntó ella.

Al final, el padre de Camuñas tuvo que explicar lo que ocurría.

—Te voy a decir la verdad —dijo Quique—: no hay contratadas más noches de hotel. Yo creía que perderíamos el primer partido y a casa, pero ahora habrá que pagar otra noche de hotel, y retrasar el viaje, y... es mucho dinero, la verdad.

—Pero yo pensaba que habías reservado para más noches, por si acaso teníamos que quedarnos —dijo mi madre—. Eso es lo que habíamos hablado, Quique.

—Sí y no —respondió Camuñas padre.

—¿Qué quieres decir?

—Pues que entre el seguro de viaje, y las nuevas camisetas, y la cena de anoche, y algunos imprevistos... pues he estado muy ocupado, y se me olvidó lo del hotel.

—No lo entiendo.

—No hay mucho que entender, Juana —dijo el padre de Camuñas—. No tenemos hotel.

Mi madre lo miró muy seria.

—¿Entonces? ¿Quieres que vayamos a dormir a la playa o qué?

Quique tragó saliva.

–No, no –dijo–. Aunque, pensándolo bien, una noche en la playa a lo mejor nos hace bien a todos...

–¡Quique!

–Está bien...

El padre de Camuñas parecía avergonzado.

–Te prometo que lo voy a solucionar. Yo me encargo.

Se dio media vuelta.

Y se alejó.

–¿Se puede saber adónde vas?

–Me dijeron que hay una pensión por aquí cerca que es muy económica –dijo–. Les pedí que nos lleven allí las maletas en cuanto aparezcan. Es algo provisional, mujer.

Las maletas todavía no habían llegado.

Ahora estábamos sin maletas y sin hotel.

Pero como habíamos ganado, nada nos molestaba.

Cuando estábamos en el lobby, listos para irnos a la pensión, el padre de Camuñas se puso a hablar con el director del hotel.

Al cabo de unos minutos, Quique volvió.

–Chicos, he estado hablando con el director del hotel...

Como estaba muy serio, temíamos lo peor.

–Nos vamos a una pensión con garrapatas y con cucarachas, ya sabía –dijo Angustias.

Pero entonces el padre de Camuñas sonrió.

– ... y lo he arreglado todo. Aquí no hay habitaciones libres, pero ¡nos llevan a otro hotel mucho mejor!

Todos gritamos y aplaudimos.

–Y que quede claro: todo a mi cuenta. ¡Viajes Camuñas siempre cuida a sus clientes! Y les digo otra cosa: ¡esta vez he reservado hasta el domingo, por si ganamos el torneo!

Todos lo miramos otra vez, desconfiados.

Pero el padre de Camuñas insistía.

–Díganme, ¿les he fallado alguna vez, chicos? ¿Eh?, díganme.

Unos minutos después, el padre de Camuñas y Gervasio nos llevaron hasta el autobús y nos marchamos del hotel.

Todos teníamos mucha curiosidad por ver adónde nos llevaba el padre de Camuñas.

Excepto el propio Camuñas, que parecía muy confiado.

—Ya verán cómo mi padre nos lleva a un buen sitio... Ya verán...

Pero cada "ya verán" de Camuñas sonaba más inseguro que el anterior.

Pasamos por algunos de los rascacielos más importantes de Benidorm: Torre Coblanca, Torre Benidorm, Torre Levante...

—Sería genial estar en uno de esos hoteles, ¿verdad? —dijo Helena.

—Huy, no, no, no... Yo ahí no, que tengo vértigo —respondió Angustias enseguida.

Pero era el único que no pensaba que sería genial estar en uno de esos rascacielos.

Así que nos quedamos helados cuando el autobús de Gervasio paró delante del más increíble de todos.

—Hemos llegado, chicos —dijo Quique.

Y ninguno se atrevía a bajar.

El hotel Bali tiene 186 metros y es el más alto de Europa.

O del mundo, yo qué sé.

Desde la puerta de entrada miramos para arriba y se nos dobló el cuello hacia atrás, y todavía no veíamos el final: parecía infinito.

Entramos al *lobby*, que es como una cancha de futbol enorme, con la boca abierta, mientras el padre de Camuñas sonreía e hinchaba el pecho como un pavo real.

–¿Qué les había dicho, eh? ¿Qué les había dicho?

Lo mejor de todo es que en el centro del *lobby*, en un carrito, estaban ¡nuestras maletas!

Todos corrimos a recogerlas.

Yo noté algo raro en la mía, pero estaba tan contento de recuperarla por fin, que la agarré y me fui hacia el elevador con ella sin pensarlo dos veces.

El elevador era panorámico, con las paredes transparentes, y mientras subíamos veíamos el mar y toda la ciudad.

Angustias se dio vuelta contra la pared, muerto de miedo.

—¡Nos vamos a caer, nos vamos a caer!

Los demás no le hicimos caso: pegamos la cara al cristal y vimos cómo la ciudad se iba haciendo más y más y más pequeña a medida que subíamos.

—Piso 30, 31, 32, 33... —contaba Tomeo.

Aunque nadie lo sepa, Benidorm es la segunda ciudad con más rascacielos por metro cuadrado del mundo, por detrás de Nueva York.

Y todos estaban por debajo de donde estábamos nosotros.

Seguíamos superando rascacielos, y veíamos el mar delante de nosotros.

—¡Esto es lo máximo, chicos! —decía Felipe, que estaba muy abrazado a Alicia, que también tenía miedo a las alturas.

—¿Qué les había dicho, chicos? ¿Qué les había dicho? —repetía una y otra vez el padre de Camuñas.

Mi madre no decía nada. Y fue algo que me extrañó mucho, porque no deja nunca de hablar.

Paramos en el piso 44, que no es el de hasta arriba porque el rascacielos tiene 52 pisos. Por fin llegamos a nuestra habitación.

Quique leyó una lista.

–Camuñas –hasta su padre lo llamaba Camuñas–, Pakete, Angustias, Tomeo, Ocho... y Toni, aquí.

–¿Cómo? ¿Seis en una habitación? –pregunté yo.

–¿Tengo que dormir con estos? –protestó Toni.

Cuando abrieron la puerta, comprendimos por qué.

Era una suite, que es una habitación de hotel que es como un departamento entero.

Con una sala con mesa de comedor, y sillones, y una tele LED inmensa.

Y dos dormitorios.

Y dos baños.

Con un *jacuzzi* cada uno.

Aquello era como lo que veíamos en la tele.

Yo nunca habría imaginado estar en un lugar así.

En un dormitorio había tres camas, y en el otro, una doble y una individual.

Camuñas pidió enseguida la individual, que estaba más cerca de la ventana, y a mí me tocó compartir cama con Angustias.

Angustias es uno de mis mejores amigos y tiene bastantes cosas buenas.

Pero compartir cama con él es un fastidio.

De noche tiene miedos y pesadillas, y no te deja dormir nunca tranquilo.

Además, tarda una hora en acostarse porque se lava los dientes tres veces. Y se enjuaga otras tres.

Y además, lo peor de todo es que ronca como si fuera un oso hormiguero.

–Es una cosa de familia. A mi padre hay hoteles donde no lo dejan entrar –se disculpó.

Todavía no habíamos colocado nuestras cosas cuando recibimos un video en el teléfono.

En él aparecían Helena, Marilyn y Anita saltando en la supercama de su suite.

No era tan grande como la nuestra, pero también era alucinante.

El padre de Camuñas y mi madre seguían por allí, examinando toda la habitación con los ojos como platos.

Mi madre ya no aguantó más.

Se acercó al padre de Camuñas y le preguntó en voz baja:

–¿Quién paga estas suites, Quique?

–Pero Juana, qué desconfiada eres. Viajes Camuñas.

–Quique...

–Ni un centavo. No nos va a costar ni un centavo. Solo tenemos que tomarnos unas fotos y dar un par de entrevistas y...

Y así se fueron, discutiendo pasillo abajo. Y después él añadió:

–Ya verás tu habitación. Un *jacuzzi* para ti sola.

Mientras tanto, nosotros corrimos a abrir nuestras maletas.

¡Por fin!

Pero mi maleta no se abría.

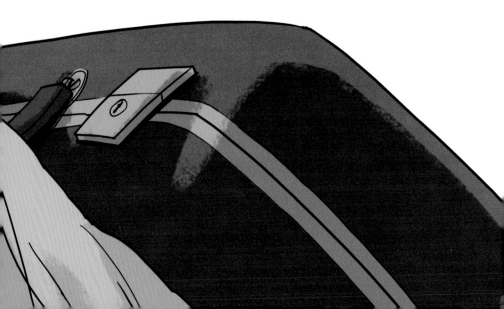

19

Mi maleta era nueva y es de las que aprietas dos botones y hacen clac y se abren, y además tiene llave. Y yo tengo la llave siempre bien guardada.

Pero a la maleta no le daba la gana abrirse.

–Debe ser la llave, que se ha mojado –dijo Camuñas.

–O que la cerradura se estropeó con un fuerte golpe –sugirió Angustias.

Así estuvimos un buen rato, intentando abrirla por todos los medios.

Hasta saltando sobre ella, que dijo Camuñas que a veces funciona.

Primero, él solo, y luego terminamos saltando cuatro sobre la maleta.

–¿Se puede saber qué hacen? ¿Vamos a ir a la alberca o no? –preguntó Toni, que ya estaba en traje de baño y muy impaciente.

–Es que la maleta de Pakete no se abre –dijo Ocho.

Toni se quedó muy serio. Después dijo:

–Yo sé cómo abrirla. Déjenme.

Agarró la maleta y se fue con ella hacia la terraza.

–¿Qué vas a hacer? –le pregunté yo, cada vez más nervioso.

–Abrir la maleta, Pakete.

Y siguió empujándola, como si la fuera a tirar por la terraza.

Yo no podía creer que fuera a hacerlo.

–¿Pero cómo vas a tirar la maleta? Hay más de cuarenta pisos...

–Seguro que del golpe se abre –dijo tranquilamente–. Lo hago por ti, Pakete.

Los demás lo miraban entre asustados y expectantes.

¿Sería capaz de tirarla?

Yo creo que, en el fondo, Camuñas y todos los demás estaban deseando que la tirara.

Yo lo miré fijamente.

Toni levantó la maleta...

Y entonces pasó lo último que Toni y yo esperábamos.

Oímos un "clac".

La cerradura de la maleta se abrió sola.

Toni y yo nos miramos.

–Se abrió –dije.

–Ya veo –dijo él.

Y después de un instante de duda, la dejó en el suelo.

–Otra vez será –dijo, y se fue hacia el interior de la habitación.

Yo agarré mi maleta, que había estado a punto de salir volando. Y por fin la abrí.

–¿Qué es eso? –pregunté al ver el interior.

–¿Qué es eso? –preguntó Angustias señalando algo dentro de la maleta.

Yo levanté lo primero que tenía a mano.

Era un bikini.

–Pakete, ¿por qué llevas ropa de chica en tu maleta? –preguntó Tomeo.

–A Pakete le gusta llevar ropa de chica –dijo Ocho.

–No, no me gusta –protesté yo.

–No pasa nada. Si te gusta, pues te gusta –dijo Camuñas–. Cada uno es muy libre de ponerse lo que quiera...

Y empezaron a reírse.

Yo tiré enseguida el bikini dentro de la maleta y la cerré.

–Bueno, ¡basta ya! ¡No es mi maleta! ¡Alguien se ha equivocado! –respondí yo.

–¿Seguro? –preguntó Camuñas.

–Vamos, ponte tu bikini favorito y a la playa –soltó Toni.

Y todos fueron saliendo hacia la playa, mientras se reían.

Yo me quedé allí cerrando otra vez la maleta.

Pensé que había tenido muy mala suerte y que no era justo que hubieran aparecido todas las maletas menos la mía.

Un rato después, bajé solo en el elevador. Con la maleta. Tenía que llevarla a recepción y preguntar qué había pasado.

En el piso 30 se abrieron las puertas y entró alguien.

Era Nihal.

Llevaba el pelo negrísimo recogido en una coleta.

Y el suéter de entrenamiento.

¿Los del Cronos estaban en el mismo hotel que nosotros?

–No mires a mí –dijo la chica turca.

–¿Están aquí...? –empecé a decir yo.

–No hables a mí –me interrumpió.

–Hablas muy bien español.

–¿Qué he dicho? –dijo mientras seguía mirando al frente.

El elevador siguió bajando.

Yo no me atrevía a decir nada ni a moverme.

−En La Finca aprender inglés y español y francés −dijo ella por fin−, porque son los idiomas que debes conocer todos los futbolistas profesionales. Y deja de mirar a mí.

−No estaba mirándote.

−Sí estabas.

−Bueno, te estaba mirando porque no hay nadie más y tú estás hablando. ¿Dónde quieres que mire?

Dio un paso y se acercó mucho mí.

−Puedes mirar pared −dijo muy seria.

Yo no sabía qué hacer.

En el siguiente piso, el elevador se paró, y ella se bajó y salió corriendo.

−¡No mires a mí! −dijo mientras se alejaba.

Me quedé mudo.

¿Qué le pasaba a aquella chica?

¿Por qué estaba tan rara?

¿Qué le había hecho yo?

Y entonces me di cuenta de una cosa.

A pesar de lo antipática que parecía a primera vista, Nihal me caía bien.

No sé explicarlo.

Pero eso fue lo que pensé.

Cuando llegué a la recepción con la maleta, mi madre ya estaba allí, discutiendo con la mujer del mostrador.

Mi madre le decía que aquella nueva equivocación con las maletas era un escándalo.

—Esto es un auténtico escándalo —dijo mi madre.

—Pero, señora, el error lo cometieron en el otro hotel... —intentó decir la recepcionista.

—A mí no me venga con eso, ¿eh? —la cortó mi madre—. Primero nos pierden las maletas, y ahora a mi pobre hijo se la cambian por otra de vaya usted a saber quién. Pero esto no va a quedar así, no se piense que porque seamos de un pueblito de la sierra no conocemos nuestros derechos...

La recepcionista parecía desconcertada ante la avalancha de mi madre.

Entonces empezó a sonar una canción de Luis Miguel que a mí me parece muy cursi, pero que por lo visto a mis padres les encanta porque la escuchaban de novios, y mi madre la tiene en su celular, y solo suena cuando llama mi padre.

Yo pongo los ojos en blanco de la vergüenza que me da cada vez que la escucho.

—Contéstale a tu padre, Pakete, por favor —dijo mi madre.

Y me pasó el teléfono y, mientras, ella siguió reclamándole a la chica de la recepción.

—Francisco, ¿te estás portando bien? —me preguntó mi padre—. No rompas nada, que este año tampoco tengo bono de fin de año.

—No te preocupes, papá —dije.

Se oyó de fondo la voz de mi hermano Víctor.

—Pakete, vaya suerte tuvieron el otro día, ¿eh? ¿Cuántos les van a meter los del Colci?

Víctor piensa que es más listo que nadie y siempre se la agarra conmigo porque es mayor que yo.

Mi padre me dijo:

—No le hagas caso a tu hermano. Tú, sobre todo, no des patadas, Francisco. No importa que les den una paliza. Que les metan ocho, nueve, catorce. Pero no des patadas, Francisco. Tú da buen ejemplo y juega limpio, ¿eh?

—Tal vez ganemos, papá. Nunca se sabe —dije.

—Claro, claro —dijo mi padre, que no parecía muy convencido—. Ah, y pregúntale a tu madre dónde guardó los repuestos de los rastrillos, hazme el favor, que tengo barba de tres días y no es bueno para la imagen de las fuerzas del orden en el pueblo.

—Ahora te la paso, papá...

Mientras hablaba con mi padre, vi algo que me llamó la atención.

En los sillones del *lobby*, en una esquina, había dos mujeres discutiendo.

Una alta y muy linda y elegante, que nunca había visto.

Pero a la otra sí: Griselda Günarsson, la rubia del acento raro que nos había resuelto el problema de los botines para el primer partido.

La encargada de relaciones públicas del Cronos.

Parecían discutir muy seriamente.

En cuanto la señora joven y alta se dio cuenta de que las estaba mirando, se calló y le dijo algo a Griselda antes de levantarse y marcharse.

–Francisco, ¿sigues ahí? –preguntó mi padre.

Entonces llegó mi madre, toda contenta y sonriente.

–Francisco, adivina lo que nos han dicho en el hotel. ¡Podemos elegir lo que queramos en los locales comerciales que hay en el *lobby* hasta que aparezca tu maleta! ¡Ellos se hacen cargo! Es como un bufet libre, pero de ropa...

–Qué bien –dije yo.

¡Encima tenía que ir de compras, que es la segunda cosa que más odio en el mundo!

La primera es que mi hermano se burle de mí delante de todos, pero bueno, eso ahora no tiene nada que ver.

–Al final, hablando se entiende la gente –dijo mi madre, muy orgullosa de lo que había conseguido con el hotel.

—Papá quiere hablar contigo –le dije, y le pasé el teléfono.

Ella tomó el celular y se puso a hablar con él y le contó lo de las maletas y otras cosas que seguro que ya le había contado, pero a mi madre a veces le gusta mucho repetir lo que cuenta.

Yo no presté mucha atención.

Me fui caminando hacia una esquina del *lobby*.

—¡Eso, eso, ve mirando las tiendas, que ahora voy yo! –me gritó mi madre mientras seguía hablando por teléfono.

Yo le sonreí.

—Sí, sí, mamá –dije.

Pero yo no estaba buscando las tiendas.

Me acerqué al fondo del *lobby*, donde empezaba la zona comercial del hotel.

Y allí vi a Griselda y a la mujer con la que discutía.

Estaban en el interior de un local de regalos y ropa.

Y hablaban con alguien.

Con un niño.

Parecía que las dos le estaban diciendo algo muy importante, porque estaban muy serias.

Miré a través de la vidriera y pude ver quién era el niño.

Se trataba de... Lucien.

Y lo más increíble es que ¡estaba llorando!

Lucien, la superestrella del futbol, uno de los niños más famosos del mundo, estaba llorando.

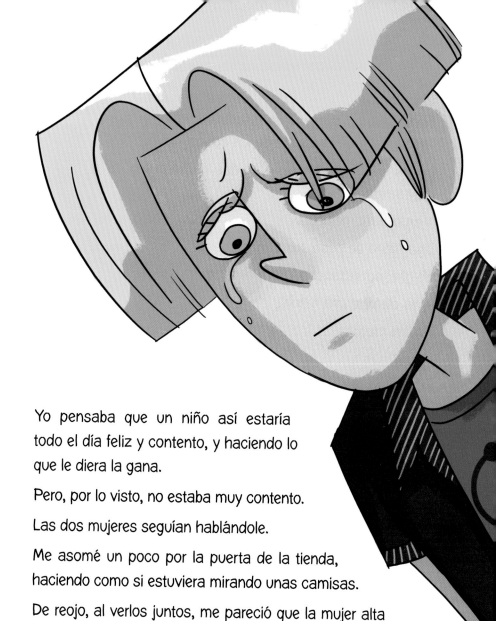

Yo pensaba que un niño así estaría
todo el día feliz y contento, y haciendo lo
que le diera la gana.

Pero, por lo visto, no estaba muy contento.

Las dos mujeres seguían hablándole.

Me asomé un poco por la puerta de la tienda,
haciendo como si estuviera mirando unas camisas.

De reojo, al verlos juntos, me pareció que la mujer alta
se parecía mucho a Lucien.

A lo mejor era su madre.

Aunque podía oírlos, no entendí nada.

Hablaban en francés.

Últimamente todo el mundo hablaba en francés. A lo mejor había llegado el momento de inscribirme en unas clases particulares, si quería enterarme de las cosas.

Lucien seguía llorando, y las dos mujeres seguían hablando muy serias.

Y en ese momento...

Una mano se posó sobre mi hombro.

Yo giré, sobresaltado.

—¿Ya elegiste una camisa?

Era mi madre.

—¿Eh?

—Camisa —dijo mi madre—, que si has elegido ya.

—Esta misma —dije.

Y agarré la primera que vi a mi lado, sin fijarme mucho.

—¿Estás seguro?

La miré.

Era una camisa de color naranja con palmeritas.

Me encogí de hombros.

Esa misma tarde, el Cronos jugó la semifinal contra el Rias Boas.

Lucien metió ocho goles.

Lo voy a repetir por si alguien no lo entendió bien.

¡Lucien metió ocho goles en el partido!

Cuatro en el primer tiempo y cuatro en el segundo.

¡Ocho goles en un solo partido! Debía ser un récord para un torneo infantil. Y para cualquier torneo internacional.

El Cronos le ganó 13 a 0 a los portugueses. Fue una verdadera exhibición de futbol.

A lo mejor parece una broma, pero el mejor del Rias Boas fue el portero, Teixeira.

Si no hubiera sido por él, podrían haber terminado 25 a 0.

Hizo algunas atajadas increíbles.

Nihal metió dos goles.

Y los celebró mirando al cielo y levantando los dos brazos.

Todos los jugadores del Cronos eran buenísimos.

Y jugaban perfectamente sincronizados.

Habermas había conseguido crear un equipo indestructible.

Al terminar el partido, los del Cronos posaron para un montón de fotos y dieron entrevistas.

Griselda estaba por allí supervisando todo y organizando las entrevistas. Por algo era la de relaciones públicas del equipo.

Y también estaban los dos hombres de traje que había visto durante el primer partido, y que observaban todo como si fueran dos búhos.

Helena bajó a la cancha y felicitó a Lucien.

Los dos empezaron a reírse.

Y otra vez se daban toquecitos en los brazos y los hombros.

En lugar de enojarme y marcharme hacia otro lado, esta vez decidí acercarme.

Me puse al lado de Helena, miré a Lucien y dije:

–*Congratulations*.

Que significa "felicitaciones" en inglés, como todo el mundo sabe.

Lucien me miró y sonrió.

Y dijo:

–*Thanks.*

Y yo, que ya estaba embalado con el inglés, seguí:

–*Where are you from?*

O sea, le pregunté de dónde era.

Él me miró y dijo:

–*From Paris.*

–*Ah, Paris, very nice.*

Yo no había estado nunca en París, pero todo el mundo sabe que París es una ciudad muy grande y muy bonita.

A continuación sonreí.

Contuve la respiración.

Y dije:

–*Have you a girlfriend in Paris?*

Helena abrió mucho los ojos, como si hubiera preguntado una barbaridad.

Lucien se rio.

Lo que le había preguntado era si tenía una novia en París.

Bueno, más o menos.

Porque mi inglés no es muy bueno.

Pero yo creo que Lucien me entendió perfectamente.

–*Oh, la, la* –dijo.

Yo lo miré, intentando entender qué quería decir.

"Oh, la, la" no sé lo que significa.

Puede que signifique: "A ti no te voy a contestar".

O tal vez: "Tengo todas las novias que me da la gana".

O incluso: "Ese no es asunto tuyo".

O a lo mejor no significa nada.

El caso es que no dijo nada más y se marchó de allí.

Helena me miró.

–¿Por qué le preguntaste eso?

–¿Qué pasa, solo tú puedes hablar con Lucien? –le respondí.

Helena me miró extrañada.

–Es muy bueno y quería felicitarlo y hablar un poco con él
–añadí–. ¿Te molesta?

–¿Por qué me iba a molestar?

–No lo sé.

–Eso mismo digo yo.

–Entonces listo, ya está.

–Estás muy raro, Pakete.

–¿Yo? ¿Estoy muy raro, yo? –pregunté boquiabierto.

Helena casi no me hacía caso.

Se pasaba el día entero hablando con Lucien y con Toni y con todo el mundo menos conmigo. ¡Y ahora resulta que el que estaba raro era yo!

–¿Raro? ¿Yo estoy raro? –pregunté una vez más.

Helena movió la cabeza y también se fue de allí.

La miré mientras se iba.

Pensé que no me gustaba que se llevara tan bien con el francés.

Eso es lo que pensé.

Pero ahora tenía que olvidarme de Lucien y jugar un partido.

La semifinal del torneo.

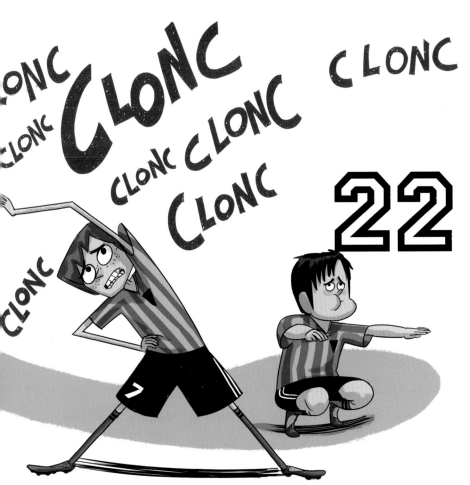

Unos días antes estábamos en Sevilla la Chica, nuestro pueblo, preparando las vacaciones tranquilamente como lo hacemos todos los años.

Y ahora, de repente, teníamos la oportunidad de llegar a la final de uno de los torneos infantiles más importantes del mundo.

¡A la final!

Solo teníamos que ganarle al Colci, el equipo anfitrión.

Para ser sinceros, era casi imposible.

Ellos eran mejores.

Jugaban en casa.

Y además tenían a los de las paelleras.

Yo creo que esta vez habían venido más que la primera vez. Nos recibieron haciendo sonar todas las paelleras al mismo tiempo.

El Benidorm Arena parecía haberse transformado para el partido.

Ahora era una auténtica olla de presión.

El ambiente era tremendo.

Allí estaban todos los espectadores del primer partido, más otros muchos que se habían sumado porque querían ver al equipo local en la final.

Había miles de personas en las gradas de la tribuna.

Más gente que toda la población de Sevilla la Chica junta. Yo pensaba que me iba a quedar sordo con el clonc, clonc, clonc de las paelleras.

Y había aún más gente con bombos, matracas, trompetas...

También había una comparsa. Se habían disfrazado como en el carnaval, e iban cantando, bailando y tirando petardos.

También tiraron miles de papelitos cuando los dos equipos salimos a la cancha.

—¿Esto es la final del mundial, o qué? —bromeó Felipe, que parecía muy nervioso, aunque trataba de disimular.

La verdad es que el ambiente era espectacular.

Incluso daba un poco de miedo.

Solo éramos unos niños jugando un partido de futbol.

–Hemos visto canchas peores, chicos, ¿verdad? –dijo Alicia, poco convencida.

–Sí, sí, claro, por supuesto –dijimos todos.

–Yo nunca había visto nada así –dijo Angustias, con toda sinceridad.

–Por muchos miles de aficionados ruidosos que haya en la tribuna, en la cancha solo hay siete contra siete. No se olviden de eso –dijo Felipe.

Nuestro entrenador tenía razón.

Si habíamos podido con el Inter de Milán, ¿por qué no íbamos a poder con el Colci?

—¡Vamos, Soto Alto! —gritó mi madre desde la tribuna, sentada junto al padre de Camuñas.

Pero en medio de todo aquello, creo que solo la oí yo.

El árbitro hizo sonar el silbato.

Y el partido comenzó.

Salieron con todo desde el primer segundo.

Como si quisieran ganar el partido en cinco minutos.

Apenas nos dejaban tocar la pelota.

En cuanto la recuperábamos, teníamos a dos de ellos encima.

Su entrenador, un hombre mayor con un enorme bigote, estaba de pie junto a la banda dando instrucciones a gritos y moviendo tanto los brazos que parecía un molino.

Los aficionados locales lo llamaba Mostacho García, y era el entrenador del equipo oficial del Colci, que juega en primera B.

Era una especie de ídolo en Benidorm, y la gente lo adoraba.

Hasta tenían una canción para él.

Una canción que a todos les hacía mucha gracia.

> Mostacho, Mostacho,
> Mostacho García,
> el Colci gana,
> antes perdía.

—La canción, ahí está el asunto. Ya sabía que había que perfeccionar lo de la canción, Juana —le dijo Quique a mi madre.

Cerca de donde estaban mi madre y el padre de Camuñas, en el palco de invitados, estaban otra vez todos los del Cronos, con Habermas a la cabeza.

El entrenador alemán lo observaba todo muy atentamente, y no dejaba de tomar notas en su famosa libreta negra.

Cada vez que le hacen una entrevista, Habermas dice que odia las computadoras y la informática, y que él lo anota todo a mano en una libreta negra.

—La gente se olvidó de escribir, con tanta computadora —decía.

Y les mostraba a todos su libreta negra.

El Cronos tenía a Habermas, el mejor entrenador del mundo.

Así que los del Colci decidieron que ellos no iban a ser menos.

Le pidieron a Mostacho García que entrenara al equipo infantil del Colci. Solo para ese torneo.

Y aceptó.

Por lo visto, llevaban un mes entrenando todos los días a puerta cerrada.

Y ahora estaba allí, en la banca de suplentes, de pie, sin dejar de moverse ni un segundo.

De vez en cuando, se tocaba el bigote.

Y luego volvía a gritar y a mover los brazos.

Tomeo intentó despejar un balón. A su manera.

Le dio una patada a la pelota sin pensar hacia dónde iba.

El balón salió disparado hacia la banca y le dio un pelotazo en la cara al entrenador del Colci.

Mostacho García cayó de pompas.

Y seguro se lastimó.

Porque pegó un buen grito.

Todos en la tribuna se quedaron callados.

Esperando que armara un gran escándalo, o que se le fuera encima a Tomeo directamente.

Ante la atenta mirada de todos, el entrenador se levantó, se llevó la mano al mostacho y dijo:

–¡No pasa nada!

Luego miró a Tomeo con cara de pocas pulgas, como diciendo: "Ya te agarraré".

La gente lo aplaudió con ganas.

Los de las paelleras empezaron a golpearlas como si las fueran a partir por la mitad.

Y a cantar.

> Mostacho, Mostacho,
> Mostacho García,
> el Colci gana,
> antes perdía.

Aunque parecía el protagonista del partido, él no jugaba.

Los que estábamos en el campo de juego éramos nosotros.

–Yo, yo... yo solo quería despejar la pelota. ¡Lo juro! –respondió Tomeo, muerto de miedo.

A partir de ese momento, cada vez que el balón pasaba cerca de Tomeo, incluso aunque no lo tocara, en la tribuna se volvían locos, aullaban, gritaban y le decían de todo.

Tomeo miró a Felipe como diciendo: "¿Qué hago?".

Felipe le hizo un gesto con la mano.

–Aguanta, Tomeo, aguanta –dijo.

Y el partido siguió.

Con más gritos.

Y más cacerolazos.

Durante la primera mitad hubo mucho ruido, pero no pasó nada importante.

Ellos atacaban.

Nosotros nos defendíamos como podíamos.

Y esperábamos que ocurriera un milagro.

Así llegamos al medio tiempo.

Cero a cero.

23

–¡Vaaaaaaaamos!

El entrenador del Colci, además de tocarse el mostacho, animaba a los gritos a sus jugadores. Salió de la banca de suplentes y se puso una mano en la oreja mientras con la otra hacía un gesto para que los aficionados también gritaran.

–Este hombre parece un porrista, más que un entrenador de futbol –dijo mi madre en la tribuna.

El caso es que funcionó y la gente se fue entusiasmando.

Primero el público, y después los propios jugadores del Colci.

Y a su vez estos arrastraron al público, que gritaba cada vez más y más.

Y a cada jugada, más presión.

Y más gritos.

A los pocos minutos, el Colci nos tenía totalmente acorralados. No pasábamos del medio campo.

Nos mirábamos unos a los otros, dándonos ánimos.

Parecía que nos iban a hacer un gol en cualquier momento, era casi inevitable.

Pero aguantamos.

Aguantamos todo el segundo tiempo, jugando juntos, achicando en defensa y cortando avances sin parar, aunque fuera a base de patadas y despejes.

Aguantamos...

Hasta que, cuando faltaba un minuto y medio, pasó lo que se veía venir.

En una jugada en la que hubo hasta siete rebotes y rechazos, la pelota le quedó suelta al número 5 del Colci, Maxi, que estaba en el punto de penal.

Camuñas estaba en el suelo, vencido.

El 5 no lo pensó y remató con la portería vacía.

El público estaba a punto de festejar el gol.

Pero cuando la pelota iba a entrar en nuestra portería...

Una sombra voló hacia ella y la atrapó con las dos manos al mismo tiempo, justo en la línea de gol.

Había salvado la portería en el último minuto.

El problema es que quien había atajado no había sido Camuñas.

Había sido Tomeo.

Aún tenía la pelota en las manos.

El árbitro señaló inmediatamente el punto de penal.

–Lo siento –dijo llevándose la mano al bolsillo.

Y le sacó tarjeta roja.

Penal y expulsión.

Tomeo no pudo ni siquiera protestar.

El árbitro tenía razón.

Era un penal clarísimo.

No quedaba tiempo.

Era una pena.

Habíamos luchado muchísimo.

Y habíamos aguantado hasta el final.

O casi.

Por muy poco.

Tomeo se fue muy triste de la cancha. Todos lo fuimos felicitando a medida que pasaba a nuestro lado: al fin y al cabo, había evitado un gol, aunque fuera con las manos.

Los miles de espectadores que apoyaban al Colci se pusieron de nuevo a rugir como locos.

Menos de un minuto.

Y tenían todo a favor.

Entonces Toni tomó la pelota y salió disparado hacia la portería del Colci.

Los del Colci se habían quedado tan descorazonados con el penal errado, que tardaron unos segundos en reaccionar.

Después de pasar el medio campo, Toni abrió la pelota a la derecha.

Justo por donde Marilyn corría en la lateral.

Helena y yo también nos pusimos a correr hacia el área.

Perseguidos por los jugadores del Colci.

–¡La tijera, la tijera! –dijo Alicia desde la banda.

El desmarque de la tijera es una jugada en la que los dos delanteros entran al área al mismo tiempo, en diagonal, cruzándose para despistar a los centrales.

El desmarque nos salió bien, y el número 3 del Colci, que me marcaba a mí, se fue detrás de Helena, y yo me quedé solo.

Sabía que Marilyn enviaría el centro al segundo palo, así que me fui directo a esa zona del área.

Tenía la vista fija en la pelota. Preparándome para rematar.

Si el balón me llegaba, tenía que ser gol.

Entonces sentí una mano en mi espalda.

Y un golpe en la parte de atrás de mi rodilla.

Era Maxi, el más rápido del Colci.

¡Otra vez él!

Había pateado el penal, y ya había bajado a defender.

De repente, sentí que me daba risa.

Cuando te pegan ahí, la rodilla se dobla y te da risa, qué le voy a hacer.

El caso es que me caí al suelo.

Y no se enteró nadie.

Justo en el momento en que Marilyn enviaba el centro.

–¡Penal! –grité desde el suelo, pero nadie parecía oírme.

Todos estaban pendientes de la pelota y del centro de Marilyn.

Entonces sucedió.

La pelota le cayó en el pie a Maxi, el jugador que había fallado el penal, el mismo que me había tirado al suelo.

Y despejó la pelota como pudo.

Con todas sus fuerzas.

Con la mala suerte de que el pelotazo me dio a mí.

Rebotó y volvió hacia su portería.

Maxi se dio cuenta del error e intentó despejar otra vez.

Pero ya no llegó a tiempo.

El portero había salido a cortar el centro.

Y tampoco llegó.

Así que la pelota...

Entró en su arco.

¡¡¡GOOOOOOOL!!!

En las tribunas se quedaron helados mientras todo mi equipo corría hacia mí.

Yo seguía en el suelo, sin poder creerlo, y todos se amontonaron sobre mí hasta que me empezó a faltar la respiración.

Incluso Toni.

–¡Eh!, que no puedo respirar –dije.

Pero no me oían.

Estaban tan emocionados que solo pensaban en el gol.

Yo también pensaba en el gol.

Pero, con todos encima, me estaba poniendo amarillo.

–¿Estás bien, Pakete? –dijo Camuñas, que se dio cuenta de que algo pasaba.

–Noooo –dije–. Me ahogo...

Todos se levantaron y por fin pude respirar.

Vi a mi madre, que me hacía gestos desde la tribuna.

Y a Felipe y Alicia, que se abrazaban emocionados.

No había tiempo para más.

Los del Colci querían sacar del centro, pero el árbitro dijo que el partido se había terminado y pitó el final.

Discutieron un buen rato, pero el partido se había acabado.

Y no había nada más que hablar.

Soto Alto, 1 - Colci, 0.

Todos lo celebramos dando saltos y gritando.

Ahora sí.

Habíamos ganado.

Un momento...

¡Habíamos ganado el partido!

–¡Estamos en la final, estamos en la final! –dijo Tomeo, que corrió desde la banca de suplentes para abrazarnos.

Aunque es muy grande y está un poco gordo, lo subimos en nuestros hombros y dimos la vuelta a la cancha con él encima.

No había hecho nada, y para colmo lo habían expulsado, pero no importaba.

Estábamos en la final.

El único que no saltaba era Angustias.

–¿Y si lo celebramos mejor en los vestidores? ¡Esta gente nos va a matar!

Tenía razón.

En aquel momento, los aficionados del Colci y los de las paelleras invadieron el campo.

Por un momento pensé que venían hacia nosotros.

Pero en lugar de eso, se fueron hacia el árbitro.

No sé por qué.

El árbitro había cobrado un penal a su favor. Había expulsado a Tomeo. Y no había hecho nada raro.

Pero los aficionados enojados fueron hacia él.

El árbitro salió corriendo y la policía lo ayudó a meterse en los vestidores, entre gritos e insultos.

En medio de todo aquel lío, vi al fondo al entrenador del Colci.

Mostacho García caminaba solo por la lateral.

Tocándose el bigote.

Y hablando solo.

Habían perdido contra un equipo desconocido.

Y encima, sin meter ningún gol.

Camuñas me empujó y corrimos hacia los vestidores.

¡Estábamos en la final!

Salimos en todos los canales y en todos los diarios.

¡Dos partidos ganados sin meter ni un gol!

Contra el Inter de Milán y contra el equipo anfitrión.

Nunca había pasado una cosa así.

Ni en torneos infantiles ni de adultos ni en ningún lado.

Ganar dos partidos seguidos sin anotar.

Entrevistaron a Marilyn, que era la capitana del equipo.

Y a Helena, que se había hecho muy popular desde que salía en las fotos con Lucien.

Y a Toni, que era el máximo goleador del equipo en la Liga.

Y a Camuñas, que había evitado muchos goles.

A mí no me entrevistaron, pero no me importó. Yo me pongo muy nervioso delante de una cámara.

Esa noche, todos cenamos en el comedor del hotel.

El padre de Camuñas encendió la televisión y dijo que nuestros entrenadores iban a ser entrevistados en directo.

Mi madre les pidió a todos los presentes que no hicieran mucho ruido, que queríamos escuchar la entrevista.

Era un programa de Tele Benidorm, y Felipe y Alicia aparecieron con un entrevistador que tenía un saco rojo y que sonreía mucho. El hombre del saco rojo los presentó y, antes de que ellos pudieran hablar, pusieron imágenes de los goles en contra que se habían hecho nuestros rivales, el Inter y el Colci.

Uno... dos... tres... y cuatro.

¡Cuatro goles en contra!

–Es un récord mundial –dijo el presentador, sin dejar de sonreír en ningún momento.

Alicia y Felipe dijeron que ellos estaban felices y que el equipo estaba muy concentrado, y que si seguíamos jugando así, era cuestión de tiempo para que metiéramos un gol.

El entrevistador les preguntó entonces si pensábamos ganar el torneo sin meter ni un gol.

Alicia dijo que eso no les preocupaba.

–No nos preocupa –dijo–. Lo importante es que los chicos jueguen en equipo y disfruten de la experiencia.

–Sí, sí, pero hasta ahora tuvieron mucha suerte –insistió el entrevistador–. ¿Piensan seguir teniendo esa suerte en la final contra el mejor equipo del mundo, el Cronos?

Felipe tartamudeó un poco antes de contestar...

–Este... sí... no... es... es... no es cuestión de suerte –dijo por fin.

–¿Ah, no?

–¿Sabe usted lo que es la suerte? –preguntó Felipe.

El entrevistador negó con la cabeza.

–Verá, la suerte –dijo Felipe muy serio– es cuando se juntan la preparación y la oportunidad. Nosotros estamos preparados para jugar. Y la oportunidad de ganar se ha presentado en este torneo. Así que la estamos aprovechando. Eso es la suerte.

No sé muy bien lo que quería decir Felipe, pero me encantó escucharlo allí, hablando de nosotros, en Tele Benidorm.

Ya he dicho antes que Alicia y Felipe estaban muy raros últimamente.

Luego, el entrevistador les preguntó si era normal que una pareja de novios entrenara a un equipo de futbol.

Ahí se pusieron un poco rojos y dijeron que ese era un tema personal, y que habían venido para hablar de futbol y no de su vida.

Todos nos reímos cuando les hicieron esa pregunta.

Y se acabó la entrevista.

—Vamos chicos, a cenar —dijo mi madre, y bajó el volumen de la televisión.

Después de cenar, salimos todos a jugar al jardín.

Yo subí un momento a la habitación a buscar la cámara de fotos, porque la había olvidado.

Apenas entré en la habitación, alguien llamó a la puerta.

—Vooooy.

Acababa de entrar y ya estaban llamando.

¿Quién sería?

Por mi cabeza pasaron muchas posibilidades.

Tal vez era Camuñas, que siempre aparecía cuando menos te lo esperabas.

O Tomeo.

O Angustias.

Incluso Toni, que venía a molestarme.

Por un momento pensé que quizá podía ser Helena, que por fin quería que habláramos a solas.

Aunque también podía ser mi madre, para decirme que no podía estar siempre olvidándome las cosas.

Pues bien, no era ninguno de ellos.

Era la última persona que yo me podía imaginar.

Abrí la puerta y allí estaba.

Con su suéter del Cronos y su pelo rubio.

Lucien.

–¿Esto no es habitación de chicas? –me preguntó con acento francés muy fuerte cuando me acerqué.

Un momento.

¿Qué hacía allí Lucien?

Y otra cosa: ¿hablaba español?

–¿Hablas español? –pregunté.

–Un poco –dijo.

–Ah, pues mucho mejor.

–Estaba buscando Helena. ¿No es aquí? –preguntó.

–No, no, esta es la habitación de los chicos –dije–. Está abajo, en la alberca, con los demás.

–Ah –dijo decepcionado, como si no tuviera ganas de ir a la alberca.

Se quedó un momento en la puerta sin decir nada.

Yo tampoco sabía qué decir.

—Qué cosa —dije, por decir algo—. El domingo vamos a jugar la final. Qué bien.

—Sí, sí, muy bien —dijo él.

—Intenten no meternos muchos goles —dije yo haciéndome el simpático.

Lucien parecía preocupado.

Entró en la habitación y cerró la puerta.

—Paketo, tengo que decir una cosa.

—Pakete.

Lucien miraba a todas partes, preocupado.

—En realidad me llamo Francisco —añadí—. Aunque todos me dicen Pakete. Bueno, no todos, pero sí muchos. Al principio me llamaban así para reírse de mí, pero ahora ya es un apodo, como el Pelusa, o la Pulga, o uno de esos apodos que les ponen a los futbolistas y que parecen ridículos, pero que después todo el mundo los usa y suenan muy bien... Querías decirme algo, ¿verdad?

—Tengo que contar una cosa —volvió a decir.

—¿Es algo sobre Helena?

—No, no.

—¿Ah, no?

—No tenemos tiempo —dijo mientras echaba una mirada de reojo a la puerta de la habitación, como si en cualquier momento fuera a abrirse.

Entonces oímos el elevador y unas zapatillas resonando en la alfombra.

–¿Lucien? –dijo una voz, y Lucien se asustó mucho.

Era Habermas, su entrenador.

Lucien me tomó por los hombros y se puso muy serio.

–Escucha –dijo–. Van a ganar la final.

–Sí, bueno, lo vamos a intentar –dije yo–. Eso dijo nuestro entrenador, que tenemos la oportunidad y no sé qué más.

Los pasos se oían cada vez más cerca.

—¿Lucien? —repitió Habermas.

—No broma. Soto Alto ganar el torneo. Alguien quiere... Tienen que ganar.

—¿Cómo que tenemos que ganar?

—Nosotros perder, ustedes ganar. Está todo hablado —dijo.

Y se fue hacia la puerta.

—Pero ey... ¿Hablado con quién? No te vayas así...

El francés abrió la puerta y se fue de allí corriendo, sin decir nada más.

Escuché voces en el pasillo. Creo que era Habermas, pero no estaba seguro.

Me asomé despacio.

Miré a un lado y al otro. Lucien había desaparecido.

—¿Lucien? —dije.

Pero no hubo contestación. Sentí un escalofrío.

El pasillo estaba vacío.

Y no se oía nada.

—¿Lucien? —volví a preguntar.

Pero nada.

¿Cómo era posible que hubiera desaparecido tan rápido?

¿Y por qué me había dicho que íbamos a ganar?

¿Qué estaba sucediendo?

Me quedé en la puerta unos segundos, esperando a que algo ocurriera.

Y entonces alguien me agarró por detrás.

—¡Uuuuuuuuuh!

Casi me caigo del susto.

Era Camuñas.

—Ten cuidado, querido, que es muy malo para la salud asustar a las personas de esa forma —dije en broma.

Camuñas se reía.

—¿Qué hacías ahí con esa cara? —me preguntó.

Yo lo miré.

—Ha pasado algo increíble —dije.

—Ya empezamos de nuevo —dijo él.

—No, no, esta vez es en serio.

—Bueno, ¿me lo vas a contar o no?

Lo pensé un segundo. Y dije:

—No.

Reunión urgente de los Futbolísimos.

Mandé un mensaje a todos.

"A las 12 de la noche en la playa, frente al hotel".

Los primeros en llegar fuimos Camuñas y yo.

Llevaba toda la noche insistiendo para que le contara lo que había ocurrido.

Pero le dije que se lo tenía que contar a los Futbolísimos.

A todos.

Poco a poco, fueron llegando los demás.

—Felipe casi me descubrió cuando salía –dijo Angustias.

–¿Pero te vio o no? –pregunté.

–No, pero casi. Sentí horrible. Y luego, en la recepción, me crucé con esos dos hombres de traje que parece que están en todas partes y que siempre tienen los ojos muy abiertos.

–¿Te dijeron algo?

–No, pero yo creo que me estaban vigilando.

–Mira, Angustias, siempre estás viendo fantasmas –dijo Camuñas.

Allí estábamos los Futbolísimos. Reunidos a la medianoche en la playa de Benidorm.

–Bueno, tú dirás –soltó Marilyn.

–Eso, ¿para qué has convocado la reunión? –preguntó Toni.

–Todavía no –dije–. Tenemos que estar todos.

Nos miramos unos a otros.

Allí estábamos ocho.

Así que faltaba uno.

–Falta Helena –dijo Anita.

–Exactamente.

–Le habrá pasado algo –dijo Angustias.

–¿Por qué le va a pasar algo? –preguntó Marilyn.

–No sé –dijo Angustias.

–Bueno, pero empieza adelantando algo –dijo Tomeo–. ¿Para qué nos hiciste venir?

–Dice que ha pasado algo muy raro –dijo Camuñas.

–¿Pero a ti ya te lo ha contado? –preguntó Ocho.

–No, no, a mí no ha querido decirme nada.

Toni dio un paso al frente.

–Bueno, ya es suficiente –dijo–. Helena estará a punto de llegar. Haznos el favor de decir para qué nos trajiste aquí.

Noté cómo en ese preciso momento catorce ojos me miraban fijamente.

–Está bien –dije–. Ahí va: vamos a ganar la final.

–¿Qué?

–¿Pero esto qué es, una broma?

–¿Has tenido una visión o lo has soñado, Pakete?

–¿Y para decirnos eso nos convocas aquí a medianoche?

–Un momento, por favor –dije–. No me entendieron. No es que yo crea que vamos a ganar la final. Es que alguien me lo ha dicho.

–¿Y quién te lo ha dicho, si puede saberse? –preguntó Marilyn.

–¡Lucien!

¿Eh?

Yo no había dicho nada.

La voz provenía de la rambla.

Los ocho nos dimos vuelta.

Y allí vimos a Helena.

–¡Lucien! –dijo ella mientras corría apresurada hacia nosotros–. ¡Se ha ido!

–¿Cómo que se ha ido? –preguntó Toni.

–Se ha ido a su casa a París y ya no va a jugar con el Cronos nunca más –dijo Helena–. Acaban de dar la noticia en la televisión. Por eso llegué tarde.

Por fin Helena llegó a la playa, adonde estábamos nosotros.

Parecía muy alterada.

–Nadie sabe los motivos –explicó ella–, pero por lo visto ha dejado de ser del Cronos desde hoy. Se rumorea que estará

en un equipo profesional de adultos. Y otras fuentes dicen que se retira del futbol. Lo único seguro es que ya no está aquí.

—Pero eso es... —dijo Marilyn.

—¡Es una buenísima noticia! —dijo Toni—. Así no podrá jugar la final contra nosotros.

Viéndolo así, era una buena noticia para nuestro equipo.

Todos murmuramos.

Que era muy raro.

Que seguro que Lucien había firmado un contrato multimillonario.

Que les daba pena no jugar contra él, pero que era mejor.

Después de algunos comentarios más, Camuñas se dio vuelta hacia mí y dijo:

—Bueno. Y tú, Pakete, ¿qué nos tenías que contar? ¿Por qué has dicho que vamos a ganar la final?

—¿Has dicho que vamos a ganar la final? —preguntó Helena, extrañada.

—Bueno, a ver, yo no lo he dicho —intenté explicarme.

—Entonces, ¿quién lo ha dicho?

—Pues el mismo que se ha ido a París... Lucien.

—¿Lucien te ha dicho que el Cronos va a perder la final y que nosotros vamos a ganar?

—Exactamente.

Todos se quedaron callados, mirándome.

Y después siguió un bombardeo de preguntas.

–¿Cómo vamos a ganarle al Cronos, si son los mejores del mundo? –preguntó Camuñas.

–¿Cuándo te lo ha dicho?

–¿Y por qué lo sabe él?

–¿Cree que por no jugar él vamos a ganar nosotros?

–Además, ¿cómo sabes si es verdad lo que te dijo Lucien? –siguió Toni–. Puede que te haya estado tomando el pelo.

–No lo sé –dije.

Y levanté los hombros.

–¿Pero qué te dijo exactamente? –preguntó Helena.

–Me dijo que íbamos a ganar la final. Y que ya estaba todo hablado.

–¿Hablado con quién? –preguntó Camuñas.

–Eso mismo le pregunté yo –me defendí–, ¿hablado con quién?

–¿Y qué te contestó?

–Pues... nada. Se fue sin decir nada más, porque el entrenador Habermas estaba en el pasillo y Lucien parecía muy nervioso.

Ninguno parecía entusiasmado con lo que acababa de contar.

–A ver si lo entiendo –dijo Toni–. ¿Nos has convocado a medianoche para decirnos que el francés ese, antes de irse a París, te dijo que íbamos a ganar la final?

–Sí –respondí.

–Pues qué tontería.

Todos parecían de acuerdo con Toni.

Lo que había dicho Lucien no tenía tanta importancia.

A lo mejor lo había dicho porque pensaba que si no jugaba él, podíamos ganar.

O a lo mejor era una tontería y nada más.

–Yo creía que era algo más importante –dijo Camuñas.

–Y yo –añadió Tomeo.

Helena me miró y, viendo que nadie me tomaba en serio, dijo:

–Un momento. Si Pakete ha convocado a los Futbolísimos es porque tiene sus razones.

De nuevo, todos me miraron.

–¿Tienes tus razones? –preguntó Marilyn.

–Creo que sí –dije, sin estar muy convencido.

–Pues adelante.

Los miré.

Y pensé que era el momento de decir todo lo que me pasaba por la cabeza.

–Primero, hemos ganado dos partidos seguidos contra equipos que son mucho mejores que nosotros. Segundo, hemos ganado los dos partidos sin meter ni un solo gol. Tercero, ahora vamos a jugar contra el mejor equipo del mundo. Cuarto, el jugador estrella de ese equipo dice que nosotros vamos a ganar y se retira. Son muchas casualidades, ¿no? Ah, y quinto:

Felipe y Alicia andan por ahí hablando a escondidas de dinero y de otras cosas que no me pude enterar bien –dije–. Yo creo que es todo un poco raro.

–Dicho así, suena extraño, la verdad –dijo Helena.

–¡Eh, eh!, que no habremos metido ningún gol, pero yo he hecho unas atajadas... –dijo Camuñas.

–Y yo creo que no hemos jugado mal –dijo Tomeo.

–Nadie está diciendo que hayamos jugado mal –dije yo–, solo que es muy raro, y que quizás alguien está interesado en que ganemos.

–¿Alguien aparte de nosotros, quieres decir?

–Eso quiero decir.

–¿Y qué tienen que ver Alicia y Felipe con todo esto?

–No tengo ni idea.

Otra vez empezaron todos a hablar al mismo tiempo.

"Que esto no tenía sentido".

"Que para qué iba a querer alguien que ganáramos nosotros".

"Que mezclar a Felipe y Alicia con Lucien no tenía lógica".

Entonces Marilyn dijo una cosa que nos dejó a todos boquiabiertos.

Para el que no lo sepa, Marilyn vive en Sevilla la Chica como todos nosotros, pero ella nació en Colombia.

Nos contó que una vez, en su país, habían llevado presos a los futbolistas de un equipo profesional por meterse un gol en contra y dejarse ganar.

—Los detuvo la policía a todos —dijo.

—¿Por meterse un gol en contra? —dijo Tomeo, preocupado.

—Por dejarse ganar.

—¿Y por qué se dejaron ganar? —preguntó Toni.

—Pues porque por lo visto eran los favoritos, y en las apuestas deportivas pagaban mucho dinero si perdían y les habían apostado en contra —explicó Marilyn.

—O sea, que se dejaron ganar a propósito para conseguir dinero en las apuestas —dijo Helena.

Marilyn asintió.

De pronto pareció que en aquella playa hacía más frío.

¿Y si nos habían dejado ganar a propósito los otros equipos?

¿Era posible algo así?

—En los partidos infantiles no hay apuestas —dijo Toni.

—Hay que investigar bien —dijo Helena—. Y también hay que hablar con los jugadores del Colci y con los del Inter.

Ahora la cosa sí se ponía seria.

—¿Y por qué no vamos a la policía y nos olvidamos de todo esto? —preguntó Angustias.

—Pues porque todavía no sabemos lo que está pasando. Y no tenemos pruebas de nada —dijo Camuñas.

—A mí me está dando hambre —dijo Tomeo.

—Está bien —dije—. Propongo que investiguemos nosotros a ver qué hay detrás de todo esto. Y si descubrimos algo, entonces decidiremos qué hacer.

—Ya empezamos de nuevo con las investigaciones –dijo Angustias–. Yo vine a Benidorm a jugar futbol y a bañarme en la playa, no a investigar.

Por supuesto, nadie le hizo caso a Angustias.

—Bueno, ¿y por dónde empezamos? –preguntó Camuñas.

—Mañana nos llevan a Terra Mítica a todos los equipos –dijo Helena–. Ese será un buen sitio para empezar nuestras investigaciones.

Y así se terminó la primera reunión de los Futbolísimos en Benidorm.

Vamos por partes.

¿Qué es exactamente una apuesta deportiva?

Pues, ni más ni menos, lo que su nombre indica: una apuesta que se hace sobre el resultado de un deporte.

Por lo visto, antes solo se apostaba en las carreras de caballos y de galgos.

Pero después, poco a poco, las apuestas se fueron extendiendo a todos los deportes.

Como el tenis, el basquetbol... y, por supuesto, el futbol.

Si en un partido, por ejemplo, juega un equipo muy bueno en contra de uno muy malo, las apuestas son siempre a favor del equipo bueno. Y en caso de que haya una sorpresa y gane el equipo malo, las apuestas se pagan mucho más. A lo mejor te dan dos veces lo que has apostado. O tres. O incluso más. Dependiendo de cómo sea de grande la sorpresa.

No sé si me estoy explicando.

Como dice Marilyn, a veces se han descubierto casos de futbolistas que hacen trampas y se dejan ganar un partido para cobrar una apuesta.

Cuando eso ocurre, y se descubre, la policía interviene para detener a los que hicieron trampa.

Lo que pasa es que nunca hasta ahora, que se sepa, ha ocurrido algo así en un partido infantil.

Para empezar, porque está prohibido apostar en deportes en los que jueguen niños.

Camuñas y yo estábamos navegando en la compu del hotel, y acabábamos de ver algo que nos había dejado sin habla.

Buscábamos cosas relacionadas con apuestas de futbol.

Y habíamos encontrado una página web en la que decía:

"La final del TIFIB de Benidorm, primer partido infantil de la historia que cotiza en las casas de apuestas".

¿Cómo podía ser eso?

¿La gente de todo el mundo podía apostar en nuestro partido?

¿Y nosotros sin saberlo?

"Cronos - Soto Alto, una experiencia piloto en las apuestas deportivas". Por lo visto, éramos una experiencia piloto.

O sea, que era verdad: ¡nuestro partido estaba en las casas de apuestas!

Aquello no olía bien.

A lo mejor tenía razón Angustias y lo que teníamos que hacer era contarle lo que sabíamos a la policía.

—Pero si no sabemos nada —dijo Camuñas mientras seguía buscando por la red.

—Sabemos lo que Lucien me dijo... —intervine yo.

—Mejor dicho: lo que tú dices que Lucien te dijo.

—¿Cómo?

—Es que ni siquiera tienes pruebas de que Lucien te haya dicho eso.

—¡No necesito pruebas, yo sé perfectamente lo que me dijo! —protesté.

—Si vas a la policía, necesitarás pruebas —sentenció Camuñas.

Tenía razón.

Si queríamos descubrir algo, primero debíamos investigar por nuestra cuenta.

Era la única manera.

A la mañana siguiente, nos levantamos muy temprano.

Nos esperaba Terra Mítica.

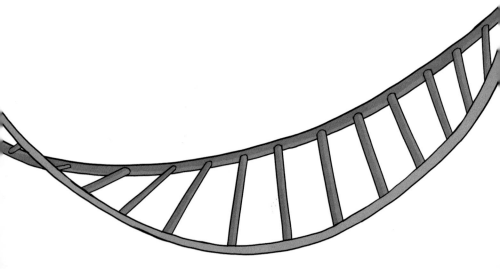

30

Terra Mítica es un parque temático enorme.

Está a unos pocos kilómetros de Benidorm. Y todas las atracciones están inspiradas en héroes legendarios que quizá vivieron hace muchísimos años.

La visita la habían organizado los patrocinadores del torneo y del equipo Cronos, o sea, Dream.

Iban a presentar allí un juego nuevo para su consola y por eso invitaron a los jugadores de cuatro equipos.

Los que íbamos a jugar la final, y los dos equipos que estaban ya eliminados pero se habían quedado a jugar por el tercer puesto.

Cuando llegamos, nos subieron a todos a un barco que se llamaba *Seker*, desde el que se veían todas las atracciones.

En el barco pusieron un video que hablaba de dioses y héroes de la Antigüedad, y decían que todas las atracciones del parque estaban basadas en sus hazañas.

Pero nosotros solo hablábamos de una cosa.

¿Habíamos ganado de verdad los partidos, o los otros equipos se habían dejado ganar?

Decidimos empezar por el principio.

Por el Inter de Milán.

Buscamos por el barco al portero, Gabriele, el que miraba a la tribuna cuando metieron el primer gol en su propia portería.

Por lo visto, Gabriele era hijo del famoso portero Gabriele, el de la selección Italiana.

–¿Y eso qué? –preguntó Tomeo.

–Pues que Gabriele padre fue portero de los tres equipos que ganaron la Champions con Habermas –dijo Helena, que siempre era la que más sabía de futbol.

–O sea que Habermas y el portero del Inter se conocen –dijo Toni.

–Eso parece –dije.

Cada vez había más casualidades en esta historia.

Demasiadas.

Nos miramos. Todos estábamos pensando lo mismo.

¿Y si lo que Lucien había dicho era verdad y los partidos estaban arreglados?

¿Le habría ordenado Habermas a Gabriele que se dejara meter un gol?

Si era así, estábamos ante algo muy pesado.

Había que hablar con Gabriele.

Mirarlo a la cara.

Y preguntarle si se había dejado meter el gol a propósito.

Eso era lo que había que hacer.

No podíamos ir los nueve al mismo tiempo a preguntarle, porque seguramente se asustaría y no querría contestar.

Decidimos que Camuñas y yo fuéramos en nombre de todos.

Lo vimos enseguida en la proa, que es la parte delantera del barco, como todo el mundo sabe.

La popa es la parte de atrás.

Y ya no sé más partes.

Gabriele estaba sentado en una banca, junto a la barandilla.

Mirando las atracciones que pasaban delante de nosotros.

Sin pensarlo más, fuimos hacia él.

Mientras nos acercábamos, Camuñas me miró preocupado.

—Un momento, Pakete. ¿Tú sabes cómo se interroga a alguien?

—¿Eh? —dije, sin entender a qué se refería—. No vamos a interrogarlo, solo vamos a hacerle unas preguntas y ya está.

—Cómo que preguntarle y ya está. Antes hay que preparar al testigo, hacerle un poco de guerra psicológica —siguió Camuñas.

—No sé qué quieres decir.

–Exacto, no sabes –dijo Camuñas–. Puede que el testigo no quiera contestar. O que se vuelva hostil. O que responda con evasivas. Deberías dejarme a mí.

–¿Por qué te voy a dejar a ti? –protesté–. Además, mi padre es policía y ha interrogado a un montón de gente.

–Municipal. Tu padre es policía municipal. Se dedica a poner multas y cosas así –dijo Camuñas–. Y no es por nada, pero yo soy portero igual que Gabriele, y entre porteros siempre hay como una conexión especial. Lo importante es que no se dé cuenta de que lo estamos interrogando, que parezca una charla casual.

Miré al italiano y miré a Camuñas.

Después de todo, el portero del Inter tenía muy mal carácter, y había discutido con el árbitro y con los de las paelleras. Incluso había discutido con los de su propio equipo.

Así que tampoco tenía yo mucho interés en que se enojara conmigo.

–Muy bien, pregúntale tú. Yo me quedo a tu lado por si acaso –dije haciéndome a un lado.

–Ya verás que no se va a dar cuenta –dijo.

Camuñas dio unos pasos y se sentó junto al italiano.

Y puso lo que él llamaba "cara de disimular".

En realidad, yo creo que no disimulaba nada, sino todo lo contrario, la verdad.

Gabriele lo miró, muy extrañado.

–¿Te pasa algo? –le preguntó.

–¿A mí? No, no, no... Estoy aquí tranquilamente, tomando aire, ya ves.

–Es que parecía que me estabas mirando –insistió el italiano.

–¿Yo? No, estoy mirando un poco todo... y nada. Pero claro que no te miraba a ti.

Por un instante, ninguno de los dos dijo nada más.

Camuñas siguió "disimulando".

Y Gabriele parecía cada vez más incómodo.

Hasta que se levantó.

–Hasta luego –dijo Gabriele, y se fue hacia otra parte del barco.

–Adiós –dijo Camuñas.

Y eso fue todo.

Cuando Gabriele se alejó, me acerqué a Camuñas.

–Te diste cuenta, ¿eh? –dijo Camuñas.

–¿De qué?

—Pues del interrogatorio... Gabriele no sospechó nada.

—¿Pero cómo va a sospechar, si no le preguntaste nada?

—Ya te dije que lo importante es que no se dé cuenta...

—¿Pero cómo se va a dar cuenta, si no le preguntamos nada?

—Hay que ir paso a paso.

Negué con la cabeza.

No había tiempo para tonterías.

Me acerqué a Gabriele y le toqué el hombro por detrás.

Él se dio vuelta.

—¿Qué pasa?

Dudé un momento, y pensé que lo mejor era soltarlo de golpe.

–Gabriele, perdona que te moleste, pero... ¿alguien te obligó a que te dejaras meter el primer gol en el juego contra nosotros? ¿Habló contigo Habermas?

El portero se quedó pasmado.

–¿¿¿Cómo??? ¿Qué estás diciendo?

–Es que han pasado muchas cosas raras, y si te dejaste meter ese gol, es mejor que lo digas cuanto antes.

–Mira, enano –dijo Gabriele–, nunca en mi vida me he dejado meter un gol, ni por Habermas ni por nadie en el mundo. Tuvieron mucha suerte, pero el Cronos les va a dar una paliza. Y no vuelvas a hablarme nunca más si no quieres que te tire al agua ahora mismo.

Y en cuanto terminó de decirlo, se dio media vuelta y se fue.

–Qué manía esa de llamarme "enano", igual que mi hermano mayor –dije.

–Ahora sí que se ha dado cuenta de que era un interrogatorio –protestó Camuñas.

Lo miré, pero no me dio tiempo a decirle nada más porque una voz nos interrumpió.

–¿Se puede saber qué hacen aquí? ¡Los estuvimos buscando por todo el barco!

Era Quique, el padre de Camuñas.

Dijo que no podíamos ir por nuestra cuenta, y que además teníamos que tomarnos unas fotos con los patrocinadores, que para eso nos habían invitado al parque.

Volvimos con el resto del grupo.

Y les contamos lo que había dicho Gabriele.

—Yo le creo —dije.

—Mira qué gracioso —dijo Toni.

—¿Qué pasa? —pregunté.

—Pues que si se dejó meter el gol a propósito, no te lo iba a decir —insistió Toni.

—No sé, se veía muy enojado —dije—. A mí me parece que estaba diciendo la verdad.

Helena propuso que siguiéramos con los interrogatorios a ver si llegábamos a alguna conclusión.

El siguiente de la lista era el que se había hecho el gol en contra en la semifinal.

El número cinco del Colci: Maxi.

Era un escenario enorme.

Había pantallas gigantes donde pasaban anuncios de la consola Cronos 3 y de los nuevos juegos.

En muchas imágenes aparecía en primer plano, por supuesto, Lucien metiendo goles.

En el escenario estaban en ese momento los jugadores del Cronos, firmando autógrafos y portadas con imágenes de los videojuegos a otros niños.

Nihal cruzó una mirada conmigo. No sé si era una sonrisa exactamente, pero pareció alegrarse de verme.

Griselda Günarsson, la de relaciones públicas, era la que dirigía todo y les decía dónde debían colocarse, y los movía de acá para allá como si fueran muñecos.

Cerca de allí, apartado y con cara de malas pulgas, estaba Habermas, el entrenador.

Anotó algo en su libreta negra y dijo:

–Hummmm.

A los jugadores del resto de los equipos nos habían puesto en una esquina, y por lo visto lo único que teníamos que hacer era sonreír y estar allí como unos tontos.

–¿Cuándo vamos a subir a las atracciones? –preguntó Toni.

–¿Y cuándo vamos a comer algo? –preguntó Tomeo.

–Por favor, chicos –dijo mi madre.

Teníamos a los jugadores del Colci muy cerca, apenas a unos metros.

En medio de ellos estaba Maxi.

Todos lo estábamos mirando. Sin decir nada. Pensando que quizás era el momento de hablar con él.

En ese momento, nos llamaron para subir.

Sonó una música y los nueve entramos en fila en el escenario.

El presentador del evento dijo que la final era "David contra Goliat, si Goliat fuera del tamaño de un Transformer", y todo el mundo se rio mucho.

Nosotros sonreímos sin saber qué hacer ni qué decir.

Aunque, por lo visto, no teníamos que hacer ni decir nada. Solo estar allí mientras el presentador seguía diciendo tonterías.

–Mira, se van, se van –dijo Helena.

Los del Colci ya habían hecho su ronda de fotos y ahora se marchaban, supongo que se dirigían a las atracciones.

–¿Podemos bajar ya? –pregunté yo.

Pero el padre de Camuñas se puso muy serio y dijo que nos teníamos que quedar arriba para que nos fotografiaran con los del Cronos, como cuando nos dieron los botines.

–Al fin y al cabo, son los finalistas del torneo –dijo.

Al terminar, habíamos perdido de vista a Maxi y al resto del equipo local.

–¿Y ahora qué hacemos? –preguntó Marilyn.

–Tenemos que encontrarlos. Quizá no tengamos otra oportunidad de hablar con Maxi –dijo Helena.

–El parque es grandísimo. ¿Tienen un satélite o algo así para encontrarlo? –preguntó Toni.

Yo miré hacia arriba.

Y tuve una idea.

–Un satélite, no, pero hay un lugar desde donde se puede ver todo –dije.

Y señalé una atracción: el Síncope.

–Yo en esas cosas me mareo –dijo Angustias–. Voy a comprar algodón, y luego los veo.

–Yo voy contigo, que necesito azúcar –dijo Tomeo.

–Yo también –dijo Ocho.

–Mejor suban ustedes, Pakete, y luego nos cuentan a los demás –dijo Anita, y se fue detrás de ellos.

Quedábamos cinco: Helena, Marilyn, Camuñas, Toni y yo.

–¿Vamos?

–Vamos.

El Síncope funciona como un péndulo.

Te sientas en una barra, que va oscilando de un lado hacia el otro.

Desde un extremo al otro sube muy alto, casi a cuarenta metros sobre el suelo, y desde ahí se veía todo el parque.

–Fíjense bien, ¿eh? Hay que encontrar a los del Colci.

Allí estábamos los cinco sentados.

Mirando para todos lados, sin prestar atención a lo alto que estábamos subiendo.

Por fin llegamos arriba de todo, y Camuñas señaló un punto.

–¡Miren, miren!

–¿Los encontraste? –pregunté yo.

–¡No, pero ahí está mi padre!

Efectivamente, vimos a Quique Camuñas hablando y riéndose con Griselda, la rubia de relaciones públicas de Dream.

–¿Y eso qué? –preguntó Marilyn.

Camuñas se encogió de hombros.

–¡Miren, ahí están los del Colci! ¡Van a entrar al Laberinto del Minotauro! –dijo Helena.

El suéter naranja de los del Colci era inconfundible.

–¡Eso es, buen ojo! –la felicitamos todos–. Ahora vamos a baj... ¡¡¡ahhhhh!!!

Aquí va un pequeño consejo.

No hay que subirse nunca a una atracción si no sabes exactamente cómo funciona.

El péndulo empezó a inclinarse y a girar.

La barra giraba a noventa kilómetros por hora.

Además, el péndulo se balanceaba de un lado para otro hasta que quedábamos casi en posición horizontal.

A los pocos segundos, todo se movía de un lado a otro, y yo pensaba que el estómago se me iba a salir por la boca.

Parecía que aquello no terminaría nunca.

Me sentía como si estuviera dentro de una batidora.

Y dentro de una batidora te pasan muchas pero muchas cosas por la cabeza.

Vi a Helena.

A Nihal.

A mi padre dentro del coche de policía.

El patio de mi colegio.

Una pelota entrando en la portería.

Otra pelota...

Y otra más.

Creía que me iba a desmayar.

Por suerte, el Síncope se detuvo.

Al fin.

Bajamos los cinco completamente mareados y con la cara blanca.

Pero al menos sabíamos dónde estaba Maxi.

El Laberinto del Minotauro era una especie de casa de los sustos, pero sin tren y lleno de monstruos mitológicos.

–¿Entramos? –preguntó Camuñas.

–Nos llevan mucha distancia de ventaja –dijo Helena–. Lo mejor es que hagamos dos grupos. Unos que hagan el recorrido en sentido normal, y los otros, que empiecen por el final.

–También podemos quedarnos en la salida esperando a que aparezcan y allí encaramos a Maxi –dijo Camuñas.

–¿Y si dan la vuelta y salen por la entrada? –dijo Marilyn.

–¿Y por qué iban a hacer eso? –preguntó Toni.

—No lo sé, pero yo creo que ahí dentro será más fácil interrogar a Maxi sin que se escape —dije.

—Muy bien. Entonces, Camuñas, tú te quedas en la salida vigilando —dijo Helena—. Marilyn y yo entramos por el principio. Y Toni y Pakete, que entren por el final. Así es imposible que se nos escape.

—¿¡Qué!? —dije yo.

—¿Tienes algún problema? —preguntó Toni—. ¿Te da miedo entrar por el final, o es que no quieres ir conmigo?

Lo miré y pensé que lo último que quería en el mundo era meterme en una casa de los sustos con Toni robagoles superchido. Ni por el principio ni por el final.

—No, yo no... Vamos... Yo hago lo que digan —dije.

—Pues vamos —dijo Helena.

En cuanto pasamos a la primera sala del laberinto, un dragón gigante cayó del techo y estuvo a punto de aplastarnos.

—¡Aaaaaaaaaaah! —gritamos Toni y yo al mismo tiempo, mientras nos agarrábamos el uno al otro.

Luego, el dragón subió otra vez al techo con una cuerda.

Y nosotros nos separamos.

—Es un dragón de mentira —dije.

—A mí no me dan miedo estas tonterías —dijo Toni—. Lo que pasa es que, claro, te agarran así por sorpresa y un poco sí, la verdad que te asustan.

—Claro, claro —dije.

Seguimos avanzando con cuidado, porque estaba todo muy oscuro y no se veía nada.

–Toni –dije.

–¿Qué pasa? ¿Tienes miedo?

–Un poco, pero no, yo te quería preguntar otra cosa.

–Dime.

–¿Tú crees que Helena y Lucien...?

–¿Qué?

–Nada, este, que si Lucien y Helena se hicieron novios o algo así.

Toni se quedó callado un momento.

–¿Sabes lo que yo creo? –dijo Toni.

–¿Qué?

–Que Lucien ahora está en París y Helena está aquí.

–Eso sí.

–Eso, nada más.

Toni no me caía bien. Pero en una cosa tenía razón: Helena estaba allí, con nosotros, y Lucien estaba muy lejos.

Eso era bueno.

En medio de la penumbra, seguimos avanzando.

–¡Aaaaaaaaaaaah! –grité.

–¿Pero qué te pasa ahora? –preguntó Toni.

–Es que una mano me tocó –dije, muy nervioso.

–Fui yo, perdona –dijo él.

–¿Fuiste tú?

–Sí, es que no veía nada y me agarré de ti un momento. ¿Te importa?

–No, no –dije.

Y seguí caminando muy despacio.

Toni y yo íbamos muy juntos, y creo que los dos teníamos miedo. Y por primera vez pensé que no éramos tan diferentes y que a lo mejor algún día Toni y yo podríamos llegar a ser amigos.

Tal vez.

Entonces llegamos a la guarida del Minotauro.

–Allí están –dijo Toni.

Dentro de la guarida, rodeados de antorchas, estaban los jugadores del Colci.

Y en un extremo, junto a una cueva, estaba Maxi.

Era el momento.

33

–Hola –dije, como si fuera lo más natural del mundo saludar a alguien a quien no conoces dentro de un laberinto del terror.

Maxi me miró sin entender qué significaba aquello.

–¿Tú quién eres? –preguntó.

–Soy Francisco, el número 7 del Soto Alto, no sé si te acuerdas de mí –dije–, aunque todos me llaman Pakete.

–Yo soy Toni, el número 5 y el mejor del equipo. Encantado –dijo Toni.

Y se puso a mi lado.

Los dos sonreímos y pusimos cara de buenas personas.

Maxi nos miró de arriba abajo, como si estuviéramos locos.

–Está a punto de salir el Minotauro –dijo.

–Claro, sí, por eso. Solo queríamos hacerte un par de preguntas –dije.

–¿Ahora?

–Solo un par de cositas sin importancia –dije.

–Vamos, al grano, Pakete –dijo Toni.

–No hay que correr, Toni –dije yo–. En estas cosas es mejor no ir apurados, no asustar a las personas.

Maxi nos miró con los ojos muy abiertos.

–¿Qué onda con ustedes dos? ¿Es una broma o son así de verdad? –dijo.

El resto de los jugadores del Colci estaban dentro de la guarida, un poco más adelantados.

–Es que es un asunto delicado –dije.

Toni me dio un empujón con el codo.

–Ya voy, ya voy... Bueno, a ver, Maxi, el gol que metiste en tu propia portería, ¿fue mala suerte? ¿O alguien te dijo que lo metieras?

–¿¡Qué!? –Ahora sí que Maxi estaba muy nervioso.

–¿Se metieron en el laberinto para buscarme y preguntarme eso?

–No –dije yo rápidamente.

–No, no, no –dijo Toni.

–Bueno, un poco sí –dije al fin–. Es que están pasando cosas muy raras, y tenemos que saber la verdad, Maxi. ¿Nos puedes contar lo que pasó con el gol, por favor?

–Ya le dije todo lo que sabía a esos dos –dijo Maxi.

¿¡Eh!?

–¿A qué dos? –pregunté.

–Pues a esos dos tipos que van de traje, ya saben, esos dos que están en todos los partidos y que parecen dos búhos –dijo.

Un momento.

Estaba hablando de la pareja de tipos trajeados que siempre estaban viendo los partidos, y que también estaban en el hotel.

–¿Te han interrogado?

–¿Quiénes son?

–¿Y qué querían?

–No sé quiénes son, pero mi padre dijo que hablara con ellos, así que le hice caso. Querían saber cosas del gol que metí en contra, igual que ustedes –dijo Maxi.

Teníamos que descubrir cuanto antes quiénes eran esos dos.

–¡Ah!, y también me preguntaron por sus entrenadores –dijo Maxi.

–¿Te preguntaron por Alicia y Felipe?

–Me preguntaron si había hablado con ellos antes o después del partido.

–¿Hablaste con Alicia y Felipe? ¿Qué tienen que ver ellos con todo esto?

En ese momento sonó una bocina que inundó la gruta.

Era un ruido infernal.

Se encendió una luz roja.

Y apareció...

... el Minotauro.

Con su cuerpo de hombre y su cabeza de toro.

Y todos los que estábamos allí salimos corriendo.

Los del Colci.

Maxi.

Toni.

Todos los turistas que había dentro.

Y yo.

El Minotauro nos perseguía y gritaba como un loco y llevaba un garrote enorme y daba golpes a todo lo que se movía.

Como estaba muy oscuro, yo me tropecé varias veces y perdí de vista a todo el mundo.

Solo corría y pensaba que nunca jamás volvería a meterme en un laberinto como ese.

Corrí hasta la entrada de la gruta, y allí me volví a tropezar.

Y me caí encima de alguien.

Cuando abrí los ojos, la vi.

Justo debajo de mí, estaba ella.

Nihal.

34

Nihal era distinta de todas las chicas que yo conocía.

Tenía una manera de mirarte muy rara.

Parecía que siempre estaba enojada.

Y sin embargo, me caía bien.

No puedo explicarlo.

–Ten cuidado, tú –dijo.

–Sí, sí, perdona –dije.

Me quedé mirándola como un tonto.

–¿Vas a levantar o quedar encima de mí todo el día?

–Ah, sí, claro –dije.

Y me puse de pie.

La miré sin saber qué decir.

–Te gustan los laberintos del terror, ¿eh? –dije, por decir algo.

–¿Puedo decir verdad? –me preguntó.

–Pues claro.

Nihal se acercó a mí.

Miró a un lado y a otro, como si alguien pudiera escucharla.

Y me dijo en voz baja:

–No gusta laberintos del terror, ni fantasmas, nada.

–¿Ah, no?

–Pero todavía gustan menos fotos y periodistas –dijo–. Así que yo escondo aquí.

Nihal jugaba muy bien futbol.

No le gustaban las fotos ni los periodistas.

Y tenía una manera de mirarte y de decir las cosas que te ponía nervioso.

Nihal, la chica turca del Cronos.

Allí estábamos.

En la entrada del Laberinto del Minotauro.

–¿Quieres que entre contigo? –dije.

–¿Pero tú no sales ahora? –me preguntó.

–Sí... y no. O sea, entré por el final, y ahora no sé muy bien dónde estoy, pero me encantaría acompañarte. Si a ti te parece bien. Además, como ya he estado, puedo avisarte para

que no te asustes con los dragones que caen del techo y esas cosas, aunque supongo que tú no te asustas por esas tonterías, ¿verdad?

Nihal sonrió.

Creo que era la primera vez que sonreía.

–Tú juegas muy mal futbol, pero muy gracioso –dijo.

También era la primera vez que una chica decía que yo era gracioso.

Y me sonó bien.

Aunque me dijera que jugaba mal al futbol, cosa con la que no estoy de acuerdo, y que supongo que lo dijo sin pensarlo muy bien.

–Pero mejor vas con tus amigos, ellos esperan –dijo Nihal.

–¿Qué amigos?

–Ellos –dijo Nihal, y señaló la entrada del laberinto.

Allí estaban mis ocho compañeros.

Toni, Helena, Marilyn, Camuñas, Tomeo, Angustias, Ocho y Anita.

Y los ocho me estaban mirando sin decir nada.

No me había dado cuenta hasta que Nihal los señaló.

–Ah, sí, parece que me están esperando –dije.

–Adiós –dijo ella.

Y entró en el laberinto.

–Adiós –dije yo con un poco de pena.

La vi alejarse por el túnel y desaparecer por un pasillo.

En ese momento, todos mis compañeros vinieron hasta donde yo estaba.

–¿Qué pasó?

–¿Qué haces con la chica turca del Cronos?

–Toni dice que hablaron con Maxi.

–¿Qué te pasa, Pakete?

Los miré y levanté los hombros.

–No me pasa nada –dije–. La estaba interrogando.

–Sí, seguro –dijo Angustias.

Nos fuimos de allí.

Teníamos mucho que hacer.

Y mucho que investigar.

Mientras salíamos del parque, Helena me miró desde lejos.

Sin decir nada.

Noté que era una mirada rara.

A lo mejor así la miraba yo cuando la veía hablar con Lucien.

No lo sé.

35

Alicia y Felipe son nuestros entrenadores desde que yo estoy en el equipo de Soto Alto.

Había algunos padres que no les gustaba que una pareja, y más una pareja de novios, entrenara a nuestro equipo.

Pero a mí me gustaban mucho.

Felipe, con su barba y tan alto, siempre nos animaba mucho y siempre nos defendía cuando teníamos algún problema.

Y Alicia sabía mucho de futbol y siempre nos contaba historias de otros futbolistas y de otros equipos.

Yo creo que juntos hacían una buena pareja.

Desde hacía algunas semanas, además eran novios.

Eso no era bueno ni malo.

Como ellos decían, "era su vida privada".

Pero ahora estaban pasando cosas muy raras.

Y teníamos que investigarlos.

Aunque fueran nuestros entrenadores.

—Yo creo que Alicia y Felipe son inocentes —dijo Helena.

—Nadie dice que sean culpables —dijo Toni—, pero Maxi nos dijo que esos dos tipos trajeados les habían preguntado por ellos. Y Pakete los oyó hablar a escondidas de dinero y de cosas raras.

—¿Y por qué no investigamos a los tipos trajeados? —preguntó Tomeo.

—Pues porque no sabemos quiénes son —dijo Camuñas—. Primero tenemos que averiguar otras cosas.

Decidimos seguir a Alicia y Felipe después del entrenamiento.

Los vimos salir del hotel y tomar un taxi. Parecía que tenían mucha prisa.

¿Adónde iban nuestros entrenadores?

¿Por qué tenían tanta prisa?

Y lo más importante:

¿Cómo los íbamos a seguir, si ellos iban en taxi y nosotros teníamos que ir a pie?

—¡Gervasio! —dijo Camuñas.

Gervasio era el conductor de nuestro autobús.

Y en ese momento estaba en la puerta del hotel, limpiando el autobús.

—Gervasio, tienes que ayudarnos —dijo Camuñas, que por lo visto conocía a Gervasio por la agencia de viajes de su padre.

Camuñas le dijo que, por favor, siguiera al taxi. Y que si lo hacía, le recomendaría a su padre que lo contratara para más viajes.

Gervasio se rio, como si la ocurrencia de Camuñas fuera una tontería y él no necesitara que un mocoso lo recomendara.

—A ver, los llevo con una condición —dijo.

—¿Cuál?

—Que si meten un gol en la final, me lo dediquen.

Todos nos miramos.

—¡Trato hecho!

Subimos al autobús y nos pusimos en marcha.

Gervasio era un hombre mayor y hablaba poco.

A mí me caía bien porque siempre estaba allí cuando más lo necesitábamos.

Y además parecía que siempre estaba de buen humor.

Fuimos detrás del taxi hasta el puerto.

En un muelle había un cartel que decía:

"FERRIS TABARCA".

—¿Se puede saber qué es Tabarca? —preguntó Tomeo.

—Tabarca es la isla habitada más pequeña de España. Está a unos kilómetros de Benidorm. Atrae muchos turistas —dijo Anita, que es la que más sabe de geografía en Sevilla la Chica.

—Van a pasar allí la tarde y a tomar sol y visitar la isla. Lo hace mucha gente. No sé por qué tanto misterio —dijo Gervasio.

Todos lo miramos y le pedimos que nos guardara el secreto.

—Te prometo que te vamos a dedicar un gol en la final delante de las televisiones y de todo el mundo —dijo Camuñas.

—¿Y la recomendación de tu padre? —preguntó Gervasio.

—Creí que no te interesaba.

—Tal y como están las cosas, claro que me interesa. Si me puedes conseguir más viajes, me vendrá muy bien.

—De acuerdo —dijo Camuñas.

Y se dieron la mano, como dos personas mayores.

Todos bajamos corriendo del autobús.

–Tengan cuidado, no se metan en líos –dijo Gervasio.

Vimos a Felipe y Alicia, que ya habían subido al ferri.

–No tenemos dinero para comprar los pasajes –dijo Toni.

–Yo tengo algo –dijo Helena.

–Y yo también –dijo Marilyn.

Todos pusimos lo que teníamos.

Incluso Tomeo, que siempre lleva monedas para comprar dulces y helados y cosas así.

En total teníamos para dos pasajes.

–¿Quiénes van?

–Yo fui el que convenció a Gervasio, así que también yo voy –dijo Camuñas.

–Pero tú no has puesto dinero para los pasajes –dijo Toni.

–La idea de seguirlos ha sido mía –dije.

–Yo también quiero ir –dijo Helena.

Por un momento pensé que la posibilidad de ir a Tabarca con Helena no estaba mal.

–Yo soy la capitana –dijo entonces Marilyn.

–Pero esto no tiene nada que ver con el equipo –dijo Tomeo.

–Claro que tiene que ver.

Y nos pusimos a discutir a ver quién tenía que ir.

–Yo no voy, les cedo mi sitio, a mí los ferris no... –dijo Angustias.

Al final decidimos hacer una votación.

Y los dos más votados irían a Tabarca detrás de Alicia y Felipe.

—Dense prisa, que el barco está a punto de salir.

La única regla de la votación era que no podías votar por ti mismo.

Yo voté por Helena.

Y resulta que todos votaron por Helena.

Menos Camuñas.

Que votó por... ¡Toni!

—¿Pero se puede saber por qué votaste por Toni en lugar de votar por mí? —le pregunté.

—Porque me da la gana —dijo—. Y tú, ¿por qué no votaste por mí? Ya sabía que no me podía confiar.

En eso tenía razón.

Yo tampoco había votado por él.

—¿Y tú por quién votaste, Helena? —preguntó Toni.

—Da lo mismo. Como tú eres el único que tienes un voto, pues voto por ti —dijo ella.

Al final, Helena y Toni se iban solos a Tabarca.

Y yo me tenía que quedar allí, en el puerto, viendo cómo se marchaban.

Nos despedimos de ellos.

—No los pierdan de vista —dijo Marilyn.

—No te preocupes —dijo Toni.

Y vimos cómo el ferri salía del puerto con ellos dos a bordo.

Estaban agarrados a la barandilla y nos saludaron con la mano.

—La verdad es que hacen buena pareja —dijo Camuñas.

—Increíble —dije yo.

No podía ir a Tabarca para seguir a Felipe y Alicia.

Y además tenía que ver cómo Helena y Toni se iban juntos.

Entonces sonó mi teléfono celular.

Era mi madre.

—Pakete, ¿se puede saber dónde te has metido?

En ese momento se me ocurrió una idea.

—Mamá, ¿tienes ganas de ir a Tabarca?

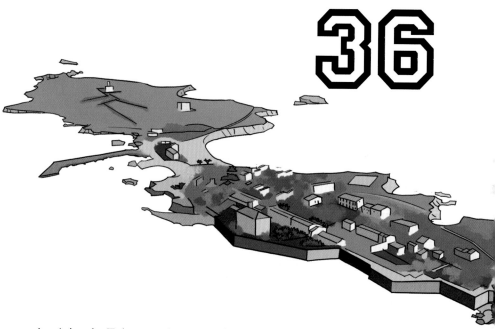

36

La isla de Tabarca tiene 30 hectáreas, la temperatura media en todo el año es de 17 grados, y actualmente tiene 61 habitantes.

Eso es lo que decía el folleto que te daban al llegar.

Al final, tomamos el siguiente ferri.

Subimos mi madre, el padre de Camuñas y los siete del equipo que nos habíamos quedado en el puerto.

–¿Pero cómo es que se han ido Helena y Toni solos? –preguntó mi madre.

–Porque solo teníamos dinero para dos –dije.

–¿Y no me podías haber llamado antes? –insistió mi madre–.
El celular te lo di solo para emergencias, pero para una cosa
así también me puedes llamar, Pakete.

–Bueno, lo importante es que estamos aquí –dijo el padre de
Camuñas.

–Exacto –dije yo.

Pensé que si le contaba toda la verdad a mi madre, iba a
pensar que estábamos locos.

En cuanto llegamos a la isla, salimos disparados.

Mi madre y el padre de Camuñas se quedaron en el único restaurante que había, debajo de un toldo.

—Tengan cuidado con el sol —dijo mi madre.

—Y no corran, que es peor —dijo Quique.

Pero ya no los oímos.

Habíamos salido corriendo.

—Tenemos que encontrarlos antes de que sea demasiado tarde —dije apresurado.

—¿Y por qué va a ser demasiado tarde? —dijo Camuñas.

—Pues porque no es bueno que estén solos tanto tiempo —dije sin pensar.

—Pero si Alicia y Felipe son novios desde hace mucho, y pasan mucho tiempo solos y...

Entonces Camuñas se quedó callado.

—Un momento —dijo—. Tú no estabas hablando de Alicia y Felipe.

—Claro que estaba hablando de ellos, qué tontería.

—Tú estabas hablando de Helena y Toni.

—No sé por qué dices eso.

Pero Camuñas ya no dio su brazo a torcer.

—¿Estás celoso de Toni?

Yo empecé a reírme.

—Sí, claro, celoso. Ja, ja, ja, lo que me faltaba.

Camuñas me señaló con el dedito.

—Estás celoso —dijo.

—¡Allí están! —dijo Marilyn, que iba delante de nosotros, con el resto del grupo.

–¿Quién? –pregunté.

–Y quién va a ser: Alicia y Felipe –dijo ella.

Tabarca es una isla muy pequeña.

Así que yo creo que es imposible perderse.

Estábamos dando la vuelta a la isla buscando a Alicia y Felipe. Y de paso, a Helena y Toni, claro.

Y allí los teníamos.

Justo delante de nosotros.

Nos escondimos detrás de unas rocas.

Y vimos a Felipe y Alicia muy nerviosos, mirando a todas partes.

Salían de una pequeña iglesia. Iban los dos hablando con un hombre muy bajito, calvo y con la nariz muy afilada.

–¿Una iglesia? ¿Qué hacen en una iglesia? –pregunté.

–Los mayores criminales del mundo cierran los tratos en las iglesias –dijo Tomeo.

–¿Dónde has oído eso? –preguntó Anita.

–En las películas de la mafia –respondió él, muy seguro, como si fuera un experto.

Entonces Alicia sacó un sobre del bolso y se lo dio al hombre que los acompañaba.

El calvo tomó el sobre y miró su interior.

–Es dinero, seguro –dijo Tomeo.

–Puede ser cualquier cosa –añadió Ocho.

–A lo mejor no están haciendo nada malo. ¿Desde cuándo es delito ir a la iglesia? –dijo Marilyn.

–¿Y el sobre?

–¿Qué pasa? Puede ser una donación.

–O puede ser dinero para un chantaje.

–O para comprar un partido –dije yo.

Todos me miraron.

No sé por qué dije eso.

Fue lo primero que me pasó por la cabeza.

–Si quisieran comprar un partido, no vendrían hasta una iglesia de Tabarca –dijo Marilyn–. No tiene sentido.

–Si quieres que nadie te vea, es el sitio perfecto –insistió Tomeo.

Mientras hablábamos, Felipe y Alicia se despidieron del hombre y se marcharon en dirección al muelle.

¿Ya está?

Cuando parecía que ya no íbamos a descubrir nada más...

Sucedió lo último que nos podíamos imaginar.

Alguien más salió de la iglesia.

Un hombre al que todos conocíamos de sobra.

Jochen Habermas.

37

¡Habermas, Felipe y Alicia, juntos en la isla de Tabarca!

Justo el día antes de la final.

Y se reunían en una iglesia, donde nadie podía verlos.

Ahora sí estaba claro que algo raro ocurría.

Aquello no era una casualidad.

Habermas iba hablando por teléfono.

Se despidió del hombre calvo con un gesto y se fue de allí.

¿Qué tramaban?

¿Nos estaban traicionando nuestros entrenadores?

Fuera lo que fuera, teníamos que averiguarlo.

Y otra cosa.

¿Dónde se habían metido Toni y Helena?

Se suponía que habían venido a investigar, y allí no había ni rastro de ellos.

¿Habrían ido a meterse al mar, o a tomar un helado, o qué?

Cuando fuimos al muelle para volver, por fin nos encontramos con Helena y Toni.

Tenían la ropa empapada.

–¿Pero qué hacen aquí? –dijo Helena, muy sorprendida.

–¿Y ustedes? ¿Dónde se habían metido? ¿Por qué están mojados?

–Estábamos siguiendo a Felipe y Alicia, y se metieron en una iglesia, y entonces nos quedamos dormidos en unas rocas junto al mar mientras esperábamos –dijo Toni.

—Fue muy chistoso —dijo Helena.

—¿Qué tiene de chistoso dormirse? —pregunté.

—Estábamos dormidos y, de pronto, nos despertó una ola y nos dejó empapados —dijo Helena.

Y los dos empezaron a reírse.

—Menos mal que alguien estaba despierto —dijo Camuñas—. Nosotros descubrimos que Felipe y Alicia se reunieron con Habermas.

Helena y Toni nos miraron con los ojos muy abiertos.

—¿Se reunieron en Tabarca con Habermas?

Aquella sí que era una pista muy importante.

—¡Pero se puede saber qué hacen con la ropa mojada! —dijo mi madre.

Parecía muy enojada.

Les dijo a Toni y Helena que era la última vez que se iban solos a ninguna parte sin avisar.

Y que iban a agarrarse una pulmonía, con toda la ropa empapada.

Y que si volvían a escaparse, se les iba a caer el pelo.

—Corre, corre, Juana, que no llegamos —dijo Quique.

Y todos empezamos a correr.

El ferri de vuelta estaba a punto de salir.

Era el último barco del día.

Helena y Toni tenían la ropa completamente mojada.

Aunque los habían regañado, parecía que lo habían pasado muy bien.

En el viaje de vuelta no dijeron nada.

De vez en cuando, se miraban y sonreían.

No habían investigado mucho.

Pero no parecía importarles.

Algunos equipos de futbol entrenan a puerta cerrada.

Para que el rival no vea sus tácticas ni las jugadas que tienen preparadas.

Sobre todo, cuando tienen un partido importante.

Los del Cronos nunca entrenan a puerta cerrada.

Siempre lo hacen de cara al público.

Son tan buenos que pueden enseñar todas sus tácticas, sus estrategias de pelota parada, todo, y aun así volver a hacerlas durante el partido, y que les salgan bien.

Cada entrenamiento suyo es un espectáculo.

Casi siempre hay más espectadores viendo sus entrenamientos que en los partidos oficiales de otros equipos.

Mientras ellos entrenaban en el campo principal, con cientos de personas en las tribunas, nosotros lo hacíamos en un campo mucho más pequeño, sin gradas ni público.

Ellos eran el Cronos.

El equipo más famoso del mundo.

Y nosotros, solo un equipo de un pequeño pueblo.

Fue seguramente el entrenamiento más raro de nuestra vida.

Felipe y Alicia nos hicieron preparar un montón de jugadas.

Corríamos.

Ensayábamos la jugada.

Volvíamos a correr.

Y la ensayábamos otra vez.

Ellos decían: "Más, más, más".

Después, otra jugada.

Y, otra vez, repetían: "Más, más, más".

Parecía que este último entrenamiento antes del partido se lo habían tomado muy en serio.

Terminamos agotados.

–Yo no sé si es bueno correr tanto el día antes del partido –dijo Tomeo, que estaba tan rojo por el esfuerzo que parecía a punto de explotar.

–Yo estoy mareado –dijo Angustias.

–Tú siempre estás mareado. Eso no cuenta –dijo Marilyn.

Durante el entrenamiento, en realidad estábamos más pendientes de Alicia y Felipe que de las jugadas en sí.

¿Qué tramaban?

¿Qué hacían con Habermas en la isla de Tabarca?

¿Por qué parecían tan nerviosos?

Al terminar el entrenamiento, fuimos al vestidor a cambiarnos.

Cuando caminábamos por el pasillo, prácticamente arrastrándonos, vimos aquella puerta.

Parecía una puerta normal y corriente.

Estaba pintada de verde.

Tenía un número pintado: 8.

Y lo más importante de todo: estaba abierta.

–Mira –le dije a Camuñas.

–¿Qué?

–La puerta esa –insistí–. Está abierta.

–Pero qué bien –dijo Camuñas.

–¿Es que no te das cuenta?

–¿De qué?

–¡Es la puerta del Cronos!

Camuñas miró la puerta, luego me miró a mí, y por fin comprendió.

–¡La puerta del Cronos! –dijo.

–Shhhhhhhhhhh –le dije para que bajara la voz.

Nos hicimos los despistados, y mientras el resto del equipo se metía en los vestidores con Alicia y Felipe, nosotros entramos en el vestidor del Cronos.

Aquello no estaba permitido, claro.

Pero nosotros no queríamos robar.

Solo queríamos encontrar pruebas.

–¿Pruebas de qué? –preguntó Camuñas.

–De lo que sea –dije yo.

Todo en aquel vestidor estaba perfectamente ordenado; no como en el nuestro, donde la ropa y los botines estaban tirados por cualquier lado.

El logotipo de Dream aparecía por todas partes: en las mochilas, en la ropa colgada en los ganchos... Incluso había un video de Dream en una pantalla frente a los casilleros.

–¡Los casilleros! –dijo Camuñas al verlos.

En los casilleros era donde se guardaban siempre las cosas importantes.

–Bueno, ya –dije–, pero habla más bajo si no quieres que nos atrapen.

Empezamos cada uno por un extremo, abriendo los casilleros del Cronos.

–A lo mejor encontramos la libreta negra de Habermas –dijo Camuñas–. Según dicen, ahí lo anota todo.

–Pero no sabemos cuál es el del entrenador –dije–. Ni siquiera sabemos si tiene un casillero, ni tampoco si deja su libreta guardada en un sitio así...

–¡Pues sí! –dijo Camuñas.

–¿Sí qué? –pregunté.

–¡Sí a todo!

Camuñas tenía una libreta negra en las manos.

¡La libreta de Habermas!

–¿Cómo la encontraste tan rápido?

Camuñas se hizo el interesante y a continuación dijo:

–En la puerta de este casillero dice "ENTRENADOR".

La verdad es que no había sido tan difícil.

–¿Y ahora qué hacemos? –preguntó.

Miré la libreta, y estaba a punto de responder cuando, de pronto, escuchamos ruidos en la puerta.

Tal vez eran los del Cronos, que volvían de entrenar.

—Corre —dije.

Fuimos hacia la puerta.

Y allí nos encontramos de frente con ella.

—¿Qué hacer aquí? —preguntó.

Camuñas y yo la miramos y sonreímos.

Era Nihal.

—¿Qué hacer en vestidor nuestro? —volvió a preguntar ella.

—Pues qué vamos a hacer —dijo Camuñas tratando de improvisar—. Díselo tú, Pakete, dile qué hacemos aquí.

—Pues... nada —dije yo—, nos hemos equivocado de puerta. Estábamos buscando nuestro vestidor, y ya ves...

Nihal me miró fijamente.

—Vestidor suyo pequeño, el nuestro muy grande. Imposible confundir —dijo.

—Claro, eso sí —dije.

Y no sabía qué más decir.

Camuñas tragó saliva. Tampoco sabía qué decir.

Nihal y yo nos miramos.

Ya he dicho que tiene los ojos muy negros, y cuando te mira muy seria te da un poco de miedo.

No sabía qué hacer.

Ni qué decir.

Si Nihal nos delataba, nos podíamos meter en un problema muy gordo.

Oímos ruidos a lo lejos. El resto del equipo del Cronos estaba bajando las escaleras.

Y entonces lo hice.

Sin pensar.

Sin saber por qué.

Me acerqué a Nihal...

... y le di un beso.

En la boca.

Ella se quedó paralizada, como si fuese lo último que esperaba en el mundo.

Después del beso, la miré y me encogí de hombros.

—¿Te ha molestado?

Pero Nihal no respondió.

Camuñas me dio un empujón.

—Ahora nos tenemos que ir —dijo Camuñas—. Vamos.

Y me jaló.

—Adiós —dije.

Nihal movió la cabeza.

Camuñas y yo nos fuimos de allí corriendo antes de que llegaran los demás.

—¿La chica turca es tu novia? —me preguntó Camuñas.

–No digas tonterías –contesté–. Le he dado un beso para disimular.

–Por supuesto –dijo él.

Y por fin llegamos a nuestro vestidor.

Con la libreta negra de Habermas.

La libreta estaba llena de diagramas, alineaciones y dibujos.

También había números y claves.

Y muchas páginas escritas a mano.

Solo había un pequeño problema.

–¡Está todo en alemán! –dijo Helena.

Todos estábamos alrededor de la libreta negra, mirándola como si fuera una especie de objeto mágico.

Habíamos subido a nuestra habitación del hotel para poder mirarla tranquilamente y ver si éramos capaces de encontrar algo útil.

–¿Alguien sabe alemán? –preguntó Marilyn.

–Yo sé inglés –dijo Anita, que siempre se sacaba sobresaliente en las pruebas de inglés.

–Y yo francés –dijo Helena.

–Y yo sé un poco de gallego –dijo Tomeo, que siempre nos contaba que en agosto se iba al pueblo de sus abuelos en Galicia.

–¿Y eso para qué nos sirve? –dijo Camuñas.

–Para nada –dijo Toni–. Esta libreta no sirve para nada.

La verdad es que, por mucho que tuviéramos la libreta negra de Habermas, si no entendíamos lo que decía, era igual que no tenerla.

Estábamos en el piso 44 del hotel Bali.

El sol entraba por la ventana.

Y al fondo se podía ver el mar.

–Podríamos estar tranquilamente en la playa, en lugar de estar perdiendo el tiempo investigando –dijo Angustias.

Tenía razón.

Creo que todos estábamos un poco desanimados.

Al día siguiente teníamos la gran final.

El partido más importante de nuestra vida.

Y estábamos perdiendo el tiempo con estas investigaciones que, por el momento, no nos habían llevado a ninguna parte.

–Mira, mira –dijo Ocho señalando la televisión.

En la tele de la habitación apareció una imagen de Lucien.

Parecía un noticiero.

Tomé el control remoto y subí el volumen.

Mientras pasaban imágenes de Lucien, el locutor decía que, después de su misteriosa salida del Cronos, cada vez había más rumores de que había fichado para un equipo de los grandes de Europa y que podía convertirse en el jugador más joven de todos los tiempos en debutar en una liga profesional.

Y también hablaban del Real Madrid, del Manchester y hasta del equipo de su ciudad, el Paris Saint-Germain.

Pero la verdad es que eran rumores y nadie sabía lo que había pasado con él.

Después pasaron a otras noticias de futbol.

Helena apagó la televisión. Parecía estar muy enojada con Lucien.

–Bueno... Entonces, ¿qué hacemos con la libreta? –preguntó Camuñas.

–Podríamos intentar buscar un traductor –dije–, pero dónde encontramos ahora alguien que sepa alemán y que nos quiera ayudar?

Todos nos quedamos pensativos.

Y entonces alguien llamó a la puerta.

¿Quién será?

Tal vez la solución a nuestros problemas estaba detrás de la puerta.

O todo lo contrario.

Me acerqué despacio.

La abrí.

Y al ver a la persona que había allí,
casi me caigo de espaldas.

Era mi padre.

Y no estaba solo.

Al lado de mi padre estaban Alicia y Felipe.

Y mi madre.

Y el padre de Camuñas.

Y detrás de ellos...

Habermas.

–Papá –dije–, ¿cuándo has venido? ¿Qué haces aquí?

–¿A ti qué te parece? –dijo mi padre, y entró en la habitación seguido por todos los demás.

–Pakete, ¿pero cómo se te ocurre? –dijo mi madre.

Y me miró como si hubiera cometido un crimen.

–¿Se puede saber en qué estabas pensando? –preguntó mi padre.

Los nueve nos quedamos allí en medio, sin saber qué decir.

–Papá –dije–, tenemos que hablar un momento... a solas.

–¿Para qué? –me preguntó él, furioso–. ¿Me vas a explicar por qué te metiste a escondidas en el vestidor del equipo rival, registraste los casilleros y robaste material privado de una persona que no conoces? ¿O me vas a explicar qué hacías en una isla mintiéndole a tu madre y espiando a tus entrenadores? ¿O por qué te escapaste del hotel a medianoche sin decir nada a los mayores? ¿O cómo has sobornado al conductor de un autobús para que persiguiera un taxi? ¿Para qué quieres hablar conmigo a solas, Francisco? ¿Me vas a explicar algo de todo esto?

Por un momento me quedé callado.

Cuando mi padre me decía "Francisco", la cosa se ponía fea.

Por lo visto, sabían todo lo que habíamos hecho.

O casi.

–Mi libreta dónde estar –dijo Habermas.

Camuñas sacó la libreta negra y se la dio.

Mi padre movió la cabeza de un lado a otro.

–Venía a Benidorm a darte una sorpresa, a ver el partido final de mañana –dijo mi padre–, y me encuentro esto. ¿Cómo puede ser? Estoy muy decepcionado, Francisco.

–Yo también –dijo Quique, el padre de Camuñas.

–¿Se puede saber qué mosca los picó? –preguntó Felipe.

—Lo que hicieron es un delito, ¿se dan cuenta? —dijo mi padre—. Este hombre, Jochin Habermas, los puede denunciar a la policía si quiere...

—Jochen —le corrigió Habermas—. Yo no denunciar de momento porque padre tuyo policía parece persona buena.

Habermas miraba su libreta y pasaba las páginas, como si quisiera asegurarse de que no habíamos arrancado ninguna.

—¿Querías táctica mía para partido final? —preguntó Habermas.

—No exactamente —dije yo.

—Queríamos pruebas —dijo Camuñas.

—¿Qué ser pruebas? —preguntó Habermas.

—Ya sabe —dijo Camuñas—, cosas para demostrar lo que está pasando con los partidos...

Miré a Camuñas, y a Helena, y a todos los demás. Y pensé que había llegado el momento de contarle a mi padre lo que estaba pasando.

—Esa libreta es una prueba muy importante de todo lo que está ocurriendo —dije.

—Lo único es que está en alemán y no tenemos ni idea de lo que dice —dijo Tomeo.

—¿Una prueba de qué? —preguntó Alicia—. Pero ¿de qué están hablando?

—¡Lo sabes perfectamente porque ustedes dos están metidos en el asunto! —acusó Camuñas, señalando con el dedo a Alicia y Felipe.

—Lo primero, con el dedo no se señala, y lo segundo, ¿te has vuelto loco? —preguntó Camuñas padre a Camuñas hijo.

—Está bien —dije—. Escuchen atentamente.

No había tiempo para seguir ocultando lo que ocurría.

Abrí la boca y lo conté todo.

Les expliqué lo que me había dicho Lucien en esa misma habitación antes de irse, y lo que habíamos descubierto preguntando a los jugadores del Inter y del Colci. Y luego, siguiendo a Alicia y Felipe. Lo de las apuestas deportivas y el dinero. Y que nos iban a dejar ganar la final. Y que los entrenadores de los dos equipos estaban metidos en una conspiración secreta.

—Está claro que aquí pasa algo muy oscuro, aunque todavía no hemos podido terminar la investigación —dije.

Mi padre me miró durante un rato.

Y luego dijo:

—Hummm.

Y Felipe y Alicia nos miraron.

Y Felipe dijo:

—Esto se nos fue de las manos. Les debemos una explicación.

Alicia asintió.

Miró a Habermas y luego me miró a mí, y dijo:

—Pakete, ayer no fuimos a Tabarca para arreglar el partido con Habermas, sino para arreglar...

—Díselo —dijo Felipe.

Alicia bajó la voz, como si le diera vergüenza, y dijo:

—Para arreglar... nuestra boda.

41

Hubo un murmullo general.

Nos habíamos quedado con la boca abierta.

–¿Se van a casar en la iglesia de Tabarca? –preguntó Helena.

–¡Qué romántico! –dijo mi madre–. Así que lo tenían escondidito...

–Es que queríamos darles la sorpresa después del partido –dijo Alicia.

–¿Y el sobre que le dieron a aquel hombre? –pregunté yo–. ¿Y por qué decían que había mucho dinero en juego? ¿Y qué tiene que ver Habermas con la boda?

—Yo soy padrino —dijo Habermas—. Ellos pedido mí, y yo aceptado.

—Es el mejor entrenador del mundo —dijo Felipe—. Le hemos pedido que sea nuestro padrino.

—Y lo del dinero que nos oíste hablar es porque nos va a salir carísima la boda y la celebración y no sabíamos si hacer una ceremonia nosotros solos o qué —dijo Alicia—. Pero al final decidimos invitarlos a todos y tirar la casa por la ventana.

—O sea que el domingo, después del partido, todos a Tabarca —dijo Quique.

—¿Hay que ir con traje de fiesta? —preguntó mi madre.

—Una boda —dijo Helena—. ¿Cómo no nos dimos cuenta?

Todo el mundo empezó a hablar de los casamientos, y lo bonita que iba a ser la ceremonia en Tabarca, y todos felicitaban a Alicia y Felipe, y de repente parecía que no había nada más en el mundo que la boda.

—Perdón, señores, pero aquí estábamos para hablar de otra cosa —dijo mi padre.

De nuevo se produjo un silencio.

Y mi padre se puso muy serio.

—Todo eso del casamiento me parece muy bien —dije yo—. ¿Pero qué pasa con Lucien? ¿Lo estaban presionando para arreglar el partido? ¿Por qué me dijo que íbamos a ganar la final? ¿Por qué se fue de repente?

—Por favor... —empezó Habermas—. Lucien es gran estrella y firmado por equipo grande, es su decisión. Yo y otros presionar para que él seguir en Cronos, pero no querer. Si dicho a ti que perder final, es su problema, yo no entiendo por qué hacer eso.

–Lucien me dijo que nosotros íbamos a ganar la final –insistí–. Y claro, con tantos goles en contra, pensamos que nos estaban dejando ganar todos los partidos para arreglar las apuestas.

–Bueno, jovencito, parece que Lucien dijo eso porque estaba enojado con el Cronos, pero no es suficiente para acusar a nadie –dijo mi padre–. Lo que está claro es que todo lo demás se lo imaginaron ustedes solos.

En ese momento llamaron a la puerta.

Mi padre abrió y se puso a cuchichear con alguien que había al otro lado, mientras todos esperábamos impacientes a ver qué pasaba.

Por fin se abrió la puerta del todo y entraron en la habitación los dos hombres trajeados que habían estado merodeando por el torneo desde el principio.

–Los dos búhos –dijo Angustias en voz baja.

Todos dimos un paso atrás.

Pero ellos dos se presentaron como si no pasara nada raro.

Por lo visto se llamaban Carrière y Schöll.

–Carrière, para servirles –dijo Carrière.

–Y Schöll –dijo Schöll–, también para servirles.

Hablaban español perfectamente, no como Habermas, que cada vez que decía una frase parecía que tenía una bolita de papel dentro de la boca.

Explicaron que eran del Comité de Ética Deportiva de la compañía Dream.

Y que su misión era investigar y garantizar la limpieza en todos los eventos deportivos en los que participaba el Cronos.

–Somos una especie de detectives del futbol –dijo Carrière.

–Los detectives del juego limpio –dijo Schöll.

–Casi igual que nosotros –dijo Camuñas.

Pero enseguida se calló, porque su padre lo fulminó con la mirada.

—La compañía insistió en que investigáramos a fondo cuando se supo que la final del torneo entraría por primera vez en las casas de apuestas —siguió Carrière.

—Cuando comenzaron los partidos y empezaron los goles en contra, iniciamos una investigación —dijo Schöll.

"Igual que nosotros", pensé.

Pero no lo dije.

—Entonces, los goles en contra... —empezó de nuevo Helena.

—Fueron goles en contra, nada más —dijo Schöll.

—No hay ninguna evidencia de que alguien lo hiciera a propósito —terminó Carrière.

¿Y eso era todo?

—Vimos los partidos una y otra vez —dijo Schöll—, hablamos con todos los implicados, analizamos todas las jugadas... y no hay nada raro. Ha sido pura casualidad. Esas cosas pasan a veces.

—Ya vieron el lío que armaron, ¿eh? —dijo mi padre.

Habermas tomó la palabra.

—Quiero decir cosa. No solo llegan final por goles en contra y por suerte, sino por haber jugado como equipo de verdad y haber plantado cara a otros mucho mejores que ustedes —dijo—. De momento yo no denunciar por robo, pero a cambio quiero cosa.

Todos lo miramos.

—¿Qué quiere? —dijo Marilyn, que era la capitana del equipo.

¿Qué podía querer Habermas de nosotros?

Camuñas y yo cruzamos una rápida mirada.

¿Qué nos iba a pedir?

—Que ustedes jugar la final como equipo —dijo Habermas—. Quiero un partido bueno y no quiero ganar fácil, quiero futbol de verdad.

De repente, Habermas parecía otra persona.

Alguien que se preocupaba por el futbol.

Y no solo por pegar gritos y mandar.

—Es una buena oferta —dijo mi padre—. ¿Qué dicen?

Como nadie decía nada, di un paso adelante.

—Aceptamos —dije.

Mis compañeros asintieron.

—Aceptamos —dijeron Marilyn y Camuñas y todos los demás.

—Perdón por robar su libreta, señor —dije.

Habermas me puso una mano en el hombro y dijo:

—Mañana nos vemos en partido.

Esa noche cené con mis padres en el restaurante del hotel.

Estuvimos los tres callados durante casi toda la cena.

Al día siguiente íbamos a jugar la final.

Y sin embargo, no parecíamos muy entusiasmados.

Al final, mis padres se habían puesto de acuerdo y me habían dicho que al día siguiente jugaría la final, pero que apenas terminara, ganáramos o perdiéramos, volveríamos de inmediato en auto a Sevilla la Chica.

Sin celebraciones.

Sin boda.

Sin poder nadar más en la alberca ni en el mar.

Y que además estaría el resto del verano estudiando.

Eso era todo.

—¿Me pasas el pan? —dijo mi madre.

Y mi padre se lo pasó sin decir nada más.

A lo mejor mi padre tenía razones para estar enojado.

Pero voy a decir una cosa.

A pesar de todo lo que había pasado, y a pesar de todas las explicaciones, aún había algo que no me cuadraba.

¿Por qué Lucien había dicho aquello de que nosotros íbamos a ganar la final?

¿Para vengarse del Cronos?

¿Para molestarnos?

No sé.

Ahora solo tenía que concentrarme en el partido y olvidarme de todo lo demás.

Pero no podía quitármelo de la cabeza.

Mientras cenábamos en silencio, vi que alguien me hacía señas desde detrás de unas plantas.

No se veía muy bien quién era.

Me fijé mejor.

Era...

Nihal.

Me hacía señas para que me acercara.

Yo observé a mis padres.

No podía irme con Nihal. Mis padres estaban muy enojados conmigo y yo estaba castigado y...

Nihal seguía haciéndome señas.

Di dos mordiscos rápidos al bife que tenía en el plato y dije:

—Ya terminé. ¿Puedo irme a mi habitación?

Mi madre movió la cabeza.

—Vete si quieres —dijo.

—Espero que hayas aprendido la lección —dijo mi padre.

—Sí, claro —dije.

Y me fui de allí despacio, arrastrando los pies, como si estuviera muy triste y muy arrepentido...

Pero en cuanto doblé la esquina y perdí de vista a mis padres, salí corriendo hacia donde estaba Nihal.

—Hola —dije mirándola.

—Tengo sorpresa para ti —dijo—. Ven.

Caminó por un pasillo del hotel y yo la seguí.

¿Adónde me llevaba?

Tal vez quería hablar del beso que yo le había dado.

No sé qué podía decirle.

Pero no se trataba de eso.

Llegamos hasta una habitación que estaba llena de computadoras y que por lo visto era el *business center* del hotel.

Nihal se puso delante de una compu y le dio a una tecla.

Me dijo:

—Ven.

Me acerqué.

Primero, la imagen se veía borrosa.

Pero después de un rato lo vi.

Estaba allí, en la pantalla de la compu.

Mirándonos.

Lucien.

–¡Lucien! –dije–. ¿Dónde estás?

–En París –dijo él tranquilamente, desde la pantalla, con su acento francés.

–Es conexión por Skype –dijo Nihal, como si yo fuera un ignorante.

–Ya sé lo que es Skype –dije, aunque la verdad es que nunca lo había usado, solo había visto a mi hermano mayor hablar con sus amigos y sus novias desde la computadora de casa.

El caso es que allí estaba Lucien. Eso era lo único importante.

Todos los periodistas del mundo querían hablar con él, y yo lo tenía delante en ese momento.

–Yo contesto una pregunta a ti –dijo Lucien.

–¿Una pregunta sola? –dije yo.

–Una –dijo Lucien muy serio.

–Lucien es muy ocupado ahora –dijo Nihal, y me sonrió.

–Tengo prisa, Paketo. Tú piensa bien y haz pregunta a mí –dijo el francés–. Yo contesto la verdad, prometo.

¡Una pregunta solamente!

¿Qué le pasaba a Lucien?

¿A qué venía eso de una pregunta nada más?

¿Se creía que era el niño más importante del mundo?

Bueno, está bien: a lo mejor en esos momentos era el niño más importante y más famoso del mundo.

Pero ya que hablaba conmigo, por lo menos podría contestar tres o cuatro preguntas.

–Vamos, tú pregunta –dijo Nihal.

–Sí, sí, ya voy –dije.

Pensé que podía preguntarle para qué equipo lo habían fichado. Y por qué había dejado el Cronos así de repente.

¿Era cierto lo del Paris Saint-Germain? ¿O se iba al Manchester? ¿O al Real Madrid?

Si se iba al Real Madrid, entonces estaríamos muy cerca. Solo había que tomar un autobús o un tren en Sevilla la Chica, y en veinticinco minutos estabas en Madrid.

Si hubiera habido allí algún periodista, seguramente le habría preguntado eso.

"¿A cuál equipo te vas?".

Pero yo no era un periodista.

Me vino a la cabeza la pregunta que tenía que hacerle:

"¿Por qué me dijiste que nosotros íbamos a ganar la final? ¿Tenías pruebas, o es algo que dijiste sin pensar?".

Esa era la pregunta correcta.

Tal vez así podría saber de una vez si había pasado algo raro con los goles en contra.

Entonces miré a Nihal.

Luego miré a Lucien.

Y me pasaron por la cabeza un montón de cosas.

Sin saber por qué, pensé en Helena con hache. Y en lo bien que se llevaba con Lucien. Y en ellos dos juntos en la playa. Y luego, juntos en la cancha de futbol. Y en el hotel. Y en muchos más lugares.

Ya no pude pensar más.

–¿Tienes pregunta o no? –dijo Lucien.

–Sí –dije yo muy seguro.

Respiré hondo y pregunté:

–¿Helena es tu novia?

Esa fue la pregunta que le hice a Lucien.

Del millón de cosas que le podía haber preguntado, le pregunté si Helena era su novia.

A lo mejor hay personas que no entienden por qué le pregunté precisamente eso.

A esas personas solo puedo decirles una cosa.

Si conocieran a Helena con hache y ella los mirase con esos ojos increíbles que son los ojos más grandes del mundo, entonces a lo mejor lo entenderían.

Nihal se rio.

Y Lucien se quedó con una cara muy extraña.

Pero al fin contestó.

—Cuando yo estar en Benidorm, yo preguntar a Helena si ella quiere ser mi novia —dijo Lucien.

—Lo sabía —dije.

—Pero Helena contestar que no puede —añadió Lucien—, porque a ella gustar un chico de su equipo.

¿¡Qué!?

¿Un chico de su equipo?

—¿Qué chico gustar? —pregunté rápidamente—, o sea, ¿qué chico le gusta a Helena?

Lucien se encogió de hombros.

—Lo siento, Paketo, una pregunta solo —dijo—. Adiós, buena suerte.

Y se acercó a la pantalla, apretó un botón y su imagen desapareció.

Así de repente.

La pantalla de la compu quedó en negro.

—¿Tú contento? —me preguntó Nihal.

—¿Eh? ¿Por qué voy a estar contento?

–Porque todo el mundo saber que a ti gustar mucho Helena –dijo ella–, y ahora tú saber que a ella no gustar Lucien. Tú contento.

¿Cómo que todo el mundo sabe que a mí me gusta Helena?

¿Es que es algo que se comenta en Francia y en Turquía y en todas partes del mundo?

–No, no... Bueno, yo no... –dije, aunque en realidad no sabía qué decir.

–Callar –dijo Nihal.

Se acercó a mí.

Y me dio un beso.

El día anterior yo la había besado en el vestidor del Cronos.

Y ahora ella me había besado en el *business center* del hotel.

Noté que me ponía rojo.

¿Qué me estaba pasando?

¿Me gustaba Helena?

¿Nihal?

No entendía nada.

–Mañana nos vemos en partido –dijo Nihal.

Y se fue corriendo de allí.

Esa noche soñé que ganábamos el partido.

Y que yo metía tres goles.

Uno.

Dos.

Y tres. El tercero, en el último segundo.

Y de chilena.

Y me daban el trofeo al mejor jugador del torneo.

Me lo entregaba Nihal, y al entregármelo me decía:

—Eres mejor del mundo, Pakete.

Y me daba un beso.

Pero de repente Nihal era... Helena.

Y ella también me besaba.

Ya he dicho que era un sueño.

Todo el mundo sabe que en los sueños puede pasar cualquier cosa. Aunque no tenga sentido.

Eso es lo que soñé.

Lo que ocurrió después en el partido no tuvo nada que ver con el sueño.

Yo no metí tres goles.

Y no me dieron el trofeo al mejor jugador.

Ah, y otra cosa.

Aunque parezca increíble después de todo lo que había pasado, alguien se metió un gol en contra durante el partido.

45

El 11 de abril de 2001, la selección de futbol de Australia le ganó por 31 a 0 a la selección de Samoa Americana.

Lo repito: treinta y uno a cero.

Mientras desayunábamos, pusieron imágenes de ese partido en un canal de deportes.

Los comentaristas del canal se preguntaban si el Cronos superaría esa diferencia de goles contra el Soto Alto.

O sea que la duda no era quién iba a ganar, sino por cuántos goles ganaría el Cronos.

Los comentaristas decían que, a pesar de la ausencia de Lucien, la diferencia entre un equipo y otro era abismal.

—Abismal —dijo uno.

—Tremenda —dijo el otro.

Terminaron el reportaje con imágenes de algunos de los mejores jugadores del Cronos, como el defensa central Ben Affa, el extremo brasileño Coutinho (al que llamaban Golinho) o la mediocampista turca Nihal.

Y con un titular a toda pantalla:

"El mejor equipo de la historia contra el equipo más suertudo de la historia".

Por último dijeron que el partido iba a televisarse en directo.

En el desayuno, todos estábamos en silencio.

—¿Nos van a meter treinta y un goles? —preguntó al fin Angustias, y luego suspiró.

—Eso sería un gol cada dos minutos —dijo Camuñas.

Felipe entró en la sala y apagó la televisión.

—No nos van a meter treinta y uno. Esas son tonterías que dicen en la tele para asustarnos y para crear polémica —dijo.

—También podemos ganar nosotros, ¿no? —dije yo.

Todos me miraron. Y nadie contestó.

—Claro que sí, Pakete —dijo por fin Alicia, que había entrado al comedor detrás de Felipe—. Podemos ganarles.

—Sí, seguro —dijo Toni.

Después, Felipe y Alicia dijeron que lo habían pensado mucho y que, a pesar de todo, esa tarde iban a hacer una gran fiesta para celebrar su boda.

Después del partido, estábamos todos invitados a Tabarca.

Y también dijeron que, pasara lo que pasara, jugar la final era un gran logro.

—Hemos hecho un gran torneo —dijo Felipe.

Algunos aplaudieron.

Aunque yo creo que estábamos todos tan nerviosos con el partido, que lo único que queríamos era que empezara de una vez.

El ambiente cambió de repente cuando llegamos al Benidorm Arena.

Nos tenían preparada una gran sorpresa.

Una muy especial.

Teníamos un "comité de bienvenida".

Los padres de Angustias, y los de Ocho, y los de Marilyn.

Y también mi hermano Víctor, que casi siempre es un tarado, pero que me alegró mucho verlo porque llevaba una semana sin verlo y, la verdad, empezaba a extrañar sus tonterías.

Todos los padres, los amigos, los familiares de todo el equipo se habían organizado y habían contratado un autobús para viajar a Benidorm y ver la final y estar con nosotros.

Mi padre ya lo sabía desde el día anterior, pero no había dicho nada.

¡Era una sorpresa!

Hubo abrazos y gritos de entusiasmo, y de pronto, en medio de tanta emoción, alguien, creo que la madre de Helena, dijo:

—¡Vivan los novios!

Y todos nos reímos.

Yo miré a mi madre, y ella seguía muy seria.

Al que no vi por ninguna parte fue a mi padre, aunque seguro que estaba por allí cerca. Una cosa era que me castigaran y no fuéramos a la boda y todo eso, pero seguro que mi padre no se perdía el partido.

–Vamos, Pakete, a ver si metes un gol por una vez en tu vida –dijo Víctor delante de todos, y mientras lo decía no dejaba de reírse.

Mi hermano solo llevaba cinco minutos en Benidorm, y yo ya estaba deseando que se volviera a casa.

La llegada de las familias cambió el humor del equipo, y mientras nos preparábamos en el vestidor, todo el mundo hacía bromas y se reía.

Después del calentamiento, cuando solo faltaban unos minutos para el partido, Felipe y Alicia nos reunieron a todos.

Felipe dijo:

—Chicos, estamos ante una oportunidad única en nuestras vidas...

Pero Alicia lo cortó en seco.

Y dijo:

—Escuchen, no les vamos a dar un discursito. Solo les diremos que ellos son los mejores del mundo, pero nosotros estamos aquí por algo. Este partido es una fiesta. Pásenlo bien.

—¡¡Y a ganar!! —dijo el padre de Camuñas, que también estaba por allí.

—¡¡A ganar!! —gritamos todos.

—Bueno, eso, a ganar también —terminó Alicia.

Y salimos a la cancha saltando y dando gritos.

El estadio del Benidorm Arena era impresionante.

Las tribunas estaban completamente llenas. Y además había gente de pie por todas partes.

Había más de veinte mil personas.

Y también había periodistas y cámaras de televisión.

Al ver a tanta gente, nos asustamos un poco.

Pero entonces Helena se dio cuenta de una cosa.

—Miren —dijo Helena—, llevan nuestras camisetas.

Era verdad: muchísimos espectadores llevaban puestas nuestras camisetas.

Pero no las de Soto Alto.

¡Las playeras de "I Love Benidorm"!

Si te fijabas bien, había miles de espectadores con la playera de "I Love Benidorm".

También estaban los de las paelleras, que apenas entramos nosotros al campo se pusieron de pie y empezaron a dar golpes como locos.

¡La gente nos echaba porras a nosotros!

Eso nos animó un poco.

Por un lado, un equipo hecho con los mejores jugadores del mundo, que pertenecía a una multinacional con miles de millones de dólares.

Por otro, el equipo de un pueblo.

Supongo que era normal que el público nos echara porras a nosotros.

Aunque ya sabíamos que con las paelleras y el público no era suficiente.

Teníamos que hacer el partido de nuestra vida para que, por lo menos, no nos golearan.

El árbitro pitó el comienzo del partido.

Y apenas había empezado el partido, hice algo que nadie se esperaba.

46

Nos tocó sacar a nosotros del medio.

Toni le pasó la pelota a Helena.

Helena me miró con sus ojos enormes y me la pasó a mí.

Tomé la pelota y decidí hacer algo distinto.

Algo que los del Cronos no se esperaran.

Ni lo pensé. Simplemente, lo hice.

Solo llevábamos cinco segundos de partido.

Todavía había mucha gente sentándose.

Yo tenía la pelota en el centro de la cancha.

Y lo normal era que se la diera a alguno de mis compañeros.

Pero en lugar de eso, me concentré y disparé hacia la portería del Cronos con todas mis fuerzas.

Desde el centro del campo.

Creo que nunca había hecho algo así.

Le di un tremendo zapatazo a la pelota.

Con toda mi alma.

La pelota voló hacia la portería de ellos.

Pasó entre los jugadores del Cronos...

Y si no hubieran estado muy atentos, a lo mejor incluso habría entrado en la portería.

El portero, que estaba en el borde del área, tuvo que dar dos pasos atrás, y puso los puños por delante para despejar.

Todo el público gritó:

–Huuuuuuuuuuuuuuuuuuuuuuuuy...

El portero del Cronos, Larsson, estaba más sorprendido que mis compañeros.

Y que yo.

Entonces, Camuñas padre se puso de pie y empezó a cantar:

> Soto Alto está contigo,
> Soto Alto ganará.

Y de repente, una gran ovación se extendió por toda la tribuna. Y veinte mil gargantas cantaron:

> Soto Alto ganará,
> ra-ra-ra.

Las paelleras retumbaron hasta varios kilómetros más allá.

Noté cómo el propio Habermas, desde el banco del Cronos, me miraba muy sorprendido.

En las gradas estaban Griselda Günarsson y la directiva del Cronos, y todos estaban en silencio, mirándome con los ojos muy abiertos.

Con ese disparo había dejado claro que no habíamos venido a ver cómo jugaba el Cronos.

Habíamos venido a jugar un partido de verdad.

Fue un buen comienzo.

Pero luego se torcieron un poco las cosas.

Prácticamente no volvimos a tocar la pelota en todo el primer tiempo.

El único que tocaba alguna pelota era Camuñas, para despejar y sacar de la portería.

Fue una auténtica avalancha del Cronos.

Ataque tras ataque, nos encerraron en el área.

Era un verdadero bombardeo.

Pateaban desde todas partes, y si no nos metieron ocho goles en el primer tiempo fue de milagro.

Defendíamos como podíamos.

Intentábamos cerrar los espacios.

Los perseguíamos por todas partes.

Alicia y Felipe no dejaban de gritar.

Pero no podíamos con ellos.

Parecía que la pelota era de ellos.

Y no querían soltarla.

Aguantamos como mejor pudimos durante el primer tiempo.

Entonces, justo antes del medio tiempo, sucedió lo que ninguno quería que sucediera.

Ni ellos.

Ni nosotros.

47

TONI TENÍA LA PELOTA, PRESIONADO EN LA BANDA POR BEN AFFA. SE LA PASÓ EN CORTO A ANGUSTIAS.

ANGUSTIAS ESTABA SOLO EN ESE MOMENTO, PERO AUN ASÍ PARECÍA ASUSTADO.

SE QUITÓ LA PELOTA DE ENCIMA COMO PUDO, Y DIO UN PASE HACIA EL ÁREA DEL CRONOS.

PERO NI LOS DEFENSAS NI NOSOTROS PUDIMOS LLEGAR A TIEMPO, PORQUE EN MITAD DE TODOS APARECIÓ NIHAL CORRIENDO PARA DESPEJAR.

ALLÍ INTENTAMOS LLEGAR MARILYN Y YO, CORRIENDO.

NIHAL IBA TAN RÁPIDO QUE NO LE DIO TIEMPO DE FRENAR.

INTENTÓ DESPEJAR CON LA CABEZA, PERO CON LA CARRERA, LE PEGÓ MAL A LA PELOTA.

Y MIENTRAS, EN UN COSTADO,
HABERMAS NO LO PODÍA CREER.

FELIPE Y ALICIA
TAMPOCO.
ESTABAN
MUY SERIOS.

TODOS LOS QUE ESTÁBAMOS ALLÍ
PENSAMOS LO MISMO.

¿HABÍA SIDO OTRA CASUALIDAD?

¿OTRO GOL EN CONTRA?

EL TEMA ES QUE, POR PRIMERA VEZ EN SU HISTORIA,
¡EL CRONOS IBA PERDIENDO UN PARTIDO!

SOTO ALTO, 1 - CRONOS, 0.

ASÍ LLEGAMOS AL MEDIO TIEMPO.

Durante el descanso, los dos equipos nos quedamos juntos en el mismo vestidor.

Mezclados.

Era algo nunca visto.

Dos equipos rivales compartiendo vestidor.

Pero los entrenadores de los dos equipos hablaron al final del primer tiempo y se pusieron de acuerdo.

Habermas y Felipe y Alicia, por lo visto, estaban muy preocupados por lo que había pasado.

También estaban allí Griselda Günarsson y el padre de Camuñas y mi madre y un montón de gente del comité organizador del torneo. Y todos hablaban sin parar, como si aquello fuera un escándalo.

¿Cómo había podido ocurrir?

¿Otro gol en contra?

¿Qué estaba pasando?

Yo no hablaba.

No podía dejar de pensar en la cara de Lucien y en lo que me había dicho en mi habitación: "Van a ganar la final".

¿Sería verdad?

–¿Se puede saber qué estar pasando? –preguntó Habermas–. Nihal, ¿ese gol es accidente?

Todos se callaron y miraron a Nihal.

La jugadora turca se encogió de hombros.

–Mala suerte –dijo.

Pero no parecía muy convencida.

La señora Günarsson se agachó y habló con Nihal en un tono más suave y dulce.

–¿Alguien te ha dicho algo antes del partido, cariño?

Nihal la miró un buen rato a los ojos y después dijo que no.

Y repitió:

–Mala suerte.

Habermas dijo algo en alemán, y Griselda se puso a discutir con él, no sé si en francés o en inglés o en qué idioma, pero yo no entendí nada porque además hablaban muy rápido.

Mientras discutían, la puerta del vestidor se abrió y aparecieron los dos búhos, Carrière y Schöll, acompañados de mi padre.

No había visto a mi padre desde la noche anterior.

Detrás de ellos venía el árbitro del partido y otro grupo de hombres que no sé quiénes eran. Al frente de ellos venía un señor con una barba enorme y con cara de pocas pulgas.

—Buenas tardes —dijo el hombre de la barba—. Soy el comisario Ferrada, jefe de la policía de Benidorm.

Habermas siguió dando gritos.

No parecía impresionarlo ni la policía ni nadie.

Mi padre se acercó a Alicia y le dijo algo al oído. Después, Alicia se acercó a Camuñas y se lo llevó de allí.

—Camuñas, ¿puedes venir conmigo afuera un momento? —le dijo mientras lo acompañaba.

Cuando salieron del vestidor, mi padre se dirigió a Habermas y le dijo que si, por favor, podía callarse un momento.

Habermas se sorprendió.

Yo creo que no está acostumbrado a que alguien le diga que se calle.

Miró a mi padre.

Luego miró a Carrière y Schöll, que estaban a su lado.

Y también al comisario Ferrada, que, como he dicho, tenía cara de pocos amigos.

Y por fin se calló.

El jefe de la policía de Benidorm dijo:

—Señores, por favor.

Carrière y Schöll dieron un paso al frente y dijeron que por fin habían descubierto lo que había ocurrido.

—Por fin sabemos lo que ha ocurrido —dijo Carrière.

—Exactamente —dijo Schöll.

Todos los miramos con mucha atención.

Schöll añadió:

—Alguien intentó comprar la final.

Un murmullo recorrió el vestidor.

—¿Quién fue? —pregunté yo.

Al darme cuenta de que era un asunto muy serio, me volví a sentar.

—Perdón —dije.

Mi padre pidió permiso al comisario Ferrada y tomó la palabra.

Dijo que aquella había sido una noche larga y muy complicada, pero que tras mi insistencia en lo que había dicho Lucien, habían seguido investigando y habían descubierto que la persona de la que menos hubieran sospechado estaba detrás de todo.

—La última persona que yo esperaba —dijo mi padre.

Schöll y Carrière se dieron vuelta y miraron a...

... Camuñas padre.

—¿Quique? —preguntó Felipe.

—Señor Camuñas, queda detenido por los delitos de estafa, intento de soborno y conspiración para arreglar un resultado deportivo —dijo el comisario Ferrada, que mostró su placa de policía.

Los hombres que habían entrado con él agarraron a Camuñas padre y lo sujetaron.

Yo pensé que lo iba a negar todo.

Y que iba a protestar.

Pero en lugar de eso, lo único que dijo fue:

—Lo siento mucho.

Parecía muy triste.

Todos nos quedamos helados.

Mi madre lo miró sin poder creerlo.

—Pero cómo ha podido ser, Quique...

El padre de Camuñas iba a decir algo, pero pensó que era mejor callarse, negó con la cabeza y lo único que dijo fue:

—Tengo que llamar a mi abogado.

Y se lo llevaron de allí.

–Todo por dinero –dijo mi padre–. Pero no lo hizo solo.

El comisario Ferrada se dirigió a otra persona que había allí en el vestidor.

Dijo:

–Señora Günarsson, usted también queda detenida por los delitos de estafa, intento de soborno y conspiración para arreglar un resultado deportivo.

¡Griselda Günarsson!

La de relaciones públicas del Cronos.

Ella respondió en inglés.

Creo que dijo algo sobre sus derechos, pero no me enteré muy bien.

Schöll le contestó muy serio.

Luego, no dijo nada más.

Se llevaron a los dos detenidos.

¡Griselda y el padre de Camuñas!

¿Cómo podía ser?

En cuanto salieron por la puerta, todo el mundo en el vestidor empezó a murmurar y a decir "lo sabía", "estaba claro que todo esto era muy raro" y otras cosas así, pero la verdad es que nadie, ni yo tampoco, se imaginó que la señora Griselda y, mucho menos, el padre de Camuñas estuvieran metidos en una estafa para arreglar el partido.

Mi padre pidió un momento de silencio y nos habló a todos.

—A ver, por favor, un momento de silencio —dijo mi padre—. Gracias a la colaboración del comisario Ferrada, la policía de Benidorm, la policía francesa y el Comité de Ética de la compañía Dream, hemos podido hablar esta mañana con Lucien y con su familia. Ellos, por lo visto, le deben mucho a Griselda. Fue ella quien lo descubrió como futbolista y la que lo fichó para el Cronos. Esta semana, ella intentó utilizar esa influencia para arreglar el partido. Pero Lucien y su madre se negaron rotundamente y se fueron de Benidorm, como ya saben. En un principio, no quisieron denunciarla, y por esa razón decidieron hacer las maletas y marcharse.

—Por eso me dijo Lucien que íbamos a ganar la final —dije yo—, porque habían intentando comprarlo para que perdiera a propósito.

Por fin algo tenía sentido.

–Eso es –dijo mi padre–. En las apuestas deportivas se puede ganar mucho dinero si sabes cuál va a ser el resultado del partido. Así que todos los indicios llevan a que la señora Günarsson y el padre de Camuñas se pusieron de acuerdo para arreglar el resultado. Como no lo consiguieron con Lucien, intentaron sobornar a otros jugadores del equipo.

Mi padre miró a Nihal.

Nihal miró hacia otro sitio.

–Gol mala suerte –insistió ella.

Volvió a decir que no lo había hecho a propósito.

–Sabemos que Griselda habló contigo y con tu familia –dijo Carrière con una mezcla de seriedad y tristeza–. Tienes que acompañarnos para declarar. No te preocupes: si dices la verdad, no pasará nada.

Le pidieron a Nihal que se fuera con ellos.

Ella se encogió de hombros y salió del vestidor acompañada por Carrière y Schöll.

Justo antes de salir, giró y me lanzó una última mirada.

Si era verdad que se había metido el gol a propósito, lo había hecho muy bien, por supuesto.

Nunca había conocido a nadie como Nihal.

Ella salió de allí.

Vi que Helena también me estaba mirando.

Yo puse cara como de no saber por qué me había mirado Nihal. Pero en ese momento tuve la sensación de que Helena sabía que Nihal y yo nos habíamos dado dos besos. Seguramente era impresión mía, pero Helena parecía que siempre lo sabía todo.

Carrière y Schöll se fueron del vestidor con Nihal.

Todos nos miramos un poco desconcertados.

—Perdón, una pregunta —dijo Tomeo.

—¿Qué sucede? —preguntó mi padre.

—Entonces, ¿los dos primeros partidos los ganamos sin trampas? ¿Los goles en contra del Inter y del Colci fueron por casualidad?

Era una buena pregunta.

Por lo que habían explicado, el padre de Camuñas y Griselda estaban detenidos por intentar arreglar la final, pero ¿y los dos primeros partidos del torneo?

—Lo único que sabemos es que intentaron comprar la final —dijo mi padre—. ¿No es así, comisario?

—En los dos primeros partidos no había apuestas, así que seguramente los goles en contra fueron pura casualidad —dijo el comisario Ferrada—. Es más, puede que se les ocurriera arreglar la final después de ver lo que había pasado en esos dos partidos.

—Ya sabía... —dijo Tomeo, muy contento.

De nuevo, todos los presentes empezamos a hablar al mismo tiempo.

—Todo eso está muy bien, ¿pero ahora qué pasa con la final? —preguntó Toni.

El comisario Ferrada se rascó la barba.

Mi padre se tocó la cabeza.

—La investigación tendrá que seguir hasta que se demuestre exactamente lo que ha pasado. No sabemos si hay más implicados, ni tampoco cuánto dinero había en juego —dijo mi padre—. En cuanto al partido de hoy, está claro que el gol de Nihal es más que dudoso...

—Mientras no haya una orden judicial, yo no puedo anular el gol —dijo el árbitro.

—Ahí afuera hay veinte mil personas esperando —dijo uno del comité organizador—. No podemos suspender el partido. Hay que seguir...

—Que suspendan apuestas, pero no partido —dijo Habermas—. Yo también quiero jugar.

–Y yo –dijo Alicia.

–Y yo... y yo... –fuimos diciendo todos los jugadores de los dos equipos.

–Un momento, señores, por favor –dijo el comisario Ferrada–. Esto hay que pensarlo bien.

El árbitro dijo que el partido podía continuar si los dos equipos estaban de acuerdo, y que luego, cuando se acabara la investigación, ya se vería si se tomaba alguna medida con el resultado.

Mi padre y el comisario Ferrada hablaron un momento y decidieron que, por el bien de la seguridad pública, era mucho mejor que se terminara el partido.

–Que se termine el partido –dijo el comisario.

Todos estábamos de acuerdo.

–Pues entonces, a jugar –dijo mi madre.

–¿Pero qué pasar con gol? –preguntó Habermas.

–Ya he dicho que no puedo anular el gol. Si quieren seguir, tiene que ser con este resultado –dijo el árbitro.

–Pero ser injusto si gol fue trampa –insistió Habermas.

En eso tenía razón.

Entonces me levanté y dije:

–Tengo una idea.

Toni le dio un pase largo a Marilyn.

Ella tomó la pelota de aire, la bajó y la volvió a pasar de taco.

La pelota quedó suelta y le llegó a Toni, que la enganchó de primera.

Estaba siendo una gran jugada.

La mejor jugada del Soto Alto en todo el torneo.

La pelota voló al costado del área, por donde llegaba Helena.

Helena metió un centro medido, que hizo una curva perfecta.

Yo estaba en el punto de penal, esperando.

Con el efecto, la pelota se me quedó un poco atrás.

Así que giré y me puse de espaldas a la portería.

Y salté hacia atrás con todas mis fuerzas.

Impulsé mis piernas hacia arriba...

... y le pegué de chilena.

Entró de lleno en el ángulo.

El mejor gol de mi vida.

Y no fue un sueño.

Lo había hecho de verdad.

Pero nadie lo celebró.

Por lo menos, al principio.

Todo el mundo en la tribuna se había quedado mudo.

Porque en realidad el gol lo había metido... en mi propio arco.

¡Había metido un gol en contra!

Por primera vez en el torneo, el Soto Alto había metido un gol. Aunque fuera un gol en nuestra portería.

La idea que les había propuesto en el vestidor era que si el Cronos se habían marcado un gol en contra, nosotros haríamos lo mismo.

Y así el partido estaría de nuevo empatado.

Allí, en medio del campo, los del Cronos nos aplaudieron.

Y Habermas también aplaudió.

Y Felipe y Alicia.

Y mis padres.

Y hasta mi hermano me aplaudió.

Un comentarista de televisión dijo que era un gesto deportivo sin precedentes.

Los de las paelleras empezaron a golpear con más fuerza que nunca.

Hubo gritos y aplausos y risas.

La gente comprendió lo que habíamos hecho.

Y se pusieron a apoyarnos con todo.

> Soto Alto ganará,
>
> ra-ra-ra.

Íbamos uno a uno.

A partir de ese momento empezaba el partido.

Teníamos que sacar del centro.

Toni, Helena y yo nos acercamos al círculo central.

Los miré y ellos me miraron a mí.

Helena le había dicho a Lucien que le gustaba un chico del equipo.

¿Era Toni?

¿O era yo?

Tal vez no era el momento de preguntárselo.

–Pakete –dijo Helena.

–¿Qué?

–Fue un golazo –dijo, y me sonrió.

–Gracias –dije, y yo también sonreí.

–Dale, ya basta de tonterías. Tenemos que sacar –dijo Toni.

El ruido y los gritos llenaban el Benidorm Arena.

Los aficionados golpeaban las paelleras con las cucharas, con las manos... Yo creo que hasta golpeaban con la cabeza.

La gente hacía la ola en las tribunas.

Y seguían cantando.

La estaban pasando de lo más bien.

Mientras los ollazos retumbaban en mi cabeza, pensé en todas las cosas que nos habían ocurrido en Benidorm.

Lucien, el mejor jugador del mundo, le había propuesto a Helena que fueran novios...

Y ella había dicho que no.

Alicia y Felipe, nuestros entrenadores, se iban a casar esa tarde.

En la isla de Tabarca.

Una niña turca me había dado dos besos.

El padre de Camuñas podía ir a la cárcel.

Habían intentado arreglar nuestro partido.

Y el único gol que habíamos metido en todo el torneo había sido en nuestra propia portería.

Sin embargo, ahora teníamos todo el segundo tiempo por delante para jugar un partido de verdad.

La final del torneo.

Contra los mejores del mundo.

Seguramente nunca volveríamos a tener una oportunidad así.

Teníamos que jugarnos el todo por el todo.

Jugar en equipo.

Intentar meter un gol.

Y de ser posible, que fuera en la portería rival.

El árbitro pitó.

Y el auténtico partido dio comienzo.

¡Ah, casi se me olvidaba!

Antes de terminar el torneo, aún pasaron muchas cosas.

Y hubo otro gol en contra.

Pero esa es otra historia.

Los Futbolísimos.
El misterio de los siete goles en contra
se terminó de imprimir en *octubre* de 2017,
en Tecnología en Impresión Profesional S.A. de C.V.
Av. Hidalgo No. 141 Col Santa Anita Del. Iztacalco
C.P. 08300, Ciudad de México.